S0-AJQ-863

EST-CE FINI ENTRE
ANNE-MARIE ET LOUIS ?

Titres de la collection

Titres de la collection

LES BABY-SITTERS

41

EST-CE FINI ENTRE ANNE-MARIE ET LOUIS ?

Quatre gardiennes fondent leur club

Ann M. Martin

Adapté de l'américain par
Nicole Ferron

Héritage jeunesse

Données de catalogage avant publication (Canada)

Martin, Ann M., 1955-

Est-ce fini entre Anne-Marie et Louis?

(Les Baby-sitters; 41)
Traduction de: Mary Anne vs. Logan
Pour les jeunes.

ISBN: 2-7625-7589-3

I. Titre. II. Collection: Martin, Ann M., 1955-
Les baby-sitters; 41

PZ23.M37Es 1993   j813'.54   C93-097318-6

Tous droits de reproduction, d'édition, d'impression, d'adaptation,
par quelque procédé que ce soit, tant électronique que mécanique,
en particulier par photocopie ou par microfilm, sont interdits
sans l'autorisation écrite de l'éditeur.

Conception graphique de la couverture: Jocelyn Veillette

Mary Anne vs. Logan
Copyright © 1991 by Ann M. Martin
publié par Scholastic Inc., New York, N.Y.

Version française:
© Les éditions Héritage inc. 1994
Tous droits réservés

Dépôts légaux: 1er trimestre 1994
Bibliothèque nationale du Québec
Bibliothèque nationale du Canada

ISBN: 2-7625-7589-3

LES ÉDITIONS HÉRITAGE INC.
300, Arran, Saint-Lambert (Québec) J4R 1K5
(514) 875-0327

Ce livre est dédié à la jeune
Olivia Connett Swomley

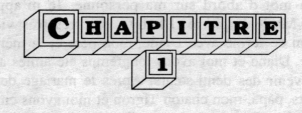

CHAPITRE 1

— De quoi j'ai l'air?

— Hein? Tu es parfaite, réplique Diane. Mais c'est quoi le problème? C'est seulement Jeanne Prieur que tu vas garder.

— Je ne sais pas. C'est madame Prieur qui me rend comme ça. Tu sais comment elle est toujours sur son trente-six et comment elle habille Jeanne.

— Ouais. Elles ont l'air de finalistes à un concours de beauté mère-fille.

Diane et moi pouffons de rire. Diane est non seulement une de mes meilleures amies, mais aussi ma demi-sœur. C'est vendredi soir et je me prépare à aller garder Jeanne Prieur. Diane est assise dans ma chambre.

— Tu sais que madame Prieur ne va pas tellement bien depuis qu'elle a appris qu'elle attendait un bébé.

— Je n'arrive pas à croire que nous connaissons le sexe du bébé et que les autres membres du CBS ne veulent pas le savoir.

— Elles préfèrent avoir la surprise, c'est tout.

(Le CBS, c'est le Club des baby-sitters. Diane, un groupe d'amies et moi-même en faisons partie. Je vous en reparlerai plus tard.)

Un mot d'abord sur ma personne. Je m'appelle Anne-Marie Lapierre. J'habite une très très vieille maison de ferme avec Diane, mon père et la mère de Diane. Diane et moi avons longtemps été amies avant de devenir des demi-sœurs. Après le mariage de nos parents, papa, mon chaton Tigrou et moi avons emménagé chez Diane parce que leur maison était plus grande. Comme nous formons une toute nouvelle famille, Diane appelle mon père Richard et j'appelle sa mère Hélène. Nous nous arrangeons très bien, même si quelquefois c'est un peu plus difficile. L'important, c'est que les périodes heureuses sont plus fréquentes et qu'elles durent plus longtemps.

J'ai les yeux et les cheveux bruns et un petit ami! Il s'appelle Louis Brunet. J'ai quelquefois du mal à croire que j'ai un amoureux, d'abord parce que je suis timide, peut-être la plus timide de tout le secondaire II de l'école de Nouville. Ensuite, Louis et moi avons traversé quelques durs moments. Il y a eu la fois où Diane, Claudia (un autre membre du CBS) et quatre enfants ont échoué sur une petite île pendant une excursion (c'est une longue histoire). Presque toute la population de Nouville les cherchait et s'inquiétait d'eux. Juste avant leur disparition, Louis et moi avions eu un accrochage. Une grosse querelle au sujet d'une baliverne. J'ai tiré une leçon de cette aventure : Louis et moi ne nous faisons pas toujours confiance. J'ai appris aussi qu'on ne pouvait pas toujours compter sur lui en situation de crise. Il n'était pas présent au moment où j'en avais le plus besoin. Je croyais qu'il aurait mis nos différends de côté pendant que nos amies étaient perdues en mer. Mais il ne le pouvait pas, du moins pas avant la toute fin de la crise.

Nous nous sommes ensuite réconciliés, mais ça n'a pas été notre seule querelle. Nous en avons vécu une autre au moment où Tigrou avait disparu. Il est si petit ! Juste une boule de poils et de ronrons. Ç'aurait pu être dramatique (même si on a ensuite su qu'il n'était pas en danger.) Donc j'étais mortellement effrayée et Louis et moi ne nous entendions pas.

Nous avons eu d'autres périodes critiques. C'est difficile à croire puisque tout a tellement été merveilleux lorsque nous nous sommes rencontrés et avons senti que nous étions faits l'un pour l'autre. Premièrement, je n'arrivais pas à croire qu'un garçon puisse s'intéresser à moi. Après tout, j'étais la fille timide et effacée, alors que Louis avait un charme quasi magique. De plus, il ressemble à une étoile de cinéma et possède un accent acadien irrésistible. Et c'est moi qu'il a choisie. Nous nous sommes offert des présents, avons participé aux danses de l'école et sorti souvent ensemble. De plus, Louis m'accompagnait le jour où j'ai choisi Tigrou à la S.P.C.A.

Donc, Louis et moi avons eu une relation qui a bien débuté, mais, dernièrement, tout s'est un peu gâté, du moins c'est ma perception. Je me demande même si je me mets à moins aimer Louis, mais je ne le crois pas.

— De toute façon, dis-je à ma demi-sœur, est-ce que je suis passable pour Son Altesse?

— Tu as l'air d'une vraie princesse, répond Diane en regardant mon jean et mon nouveau chandail en coton ouaté. Va chercher ta couronne et ce sera au point.

— Je ferais mieux d'y aller, dis-je en consultant ma montre. Je dois être là dans vingt minutes.

Le téléphone sonne au même moment.

— Je réponds! lance Diane.

Je cherche ma deuxième chaussure alors que Diane me crie:

— C'est pour toi!

— D'accord!

Je cours dans la chambre de nos parents et je prends le combiné des mains de Diane qui sort aussitôt. C'est sûrement Louis qui m'appelle. Si ç'avait été une de nos amies, elle serait restée tout près pour savoir de quoi il s'agissait.

— Allô?

— Salut, c'est moi, fait Louis.

— Oh, salut! Je n'ai que deux minutes à te consacrer car je m'en vais garder Jeanne Prieur.

— Est-ce que je peux te proposer d'aller au cinéma à la place?

— Maintenant? Non, je ne peux vraiment pas.

Je déteste décevoir Louis, mais mes responsabilités de gardienne sont importantes.

— Allons… Anne-Marie…

— Je sais que ce serait plus amusant, mais…

J'ai un peu de mal à exprimer ce que je pense et lorsque je suis fâchée ou contrariée, je me mets habituellement à pleurer... ce qui n'arrange rien.

— Mais est-ce que Diane est libre, ce soir? continue Louis.

— Tu veux dire pour prendre ma place chez les Prieur?

— Oui.

— Louis, je ne peux pas envoyer Diane garder à ma place, dis-je d'une voix tremblante.

— Tu veux dire que tu ne viendras pas au ciné avec moi?

— Eh bien... non.

— D'accord, fait Louis d'une voix hésitante.

— Je dois maintenant partir, dis-je rapidement. On se reparlera demain.

Nous raccrochons et je me concentre pour ne pas me mettre à pleurer. Je pense à Jeanne; c'est mon travail. Je pourrai toujours penser à Louis plus tard.

Je quitte la maison en courant et j'arrive à l'heure chez les Prieur.

Les parents de Jeanne s'en vont dès que j'arrive et cette dernière s'empresse de me montrer la montre qu'elle porte au poignet.

— Regarde ce que maman m'a acheté! Je ne peux pas encore lire l'heure, mais il paraît que ça fait très grande fille. Elle m'a aussi acheté d'autres choses. Tu veux voir?

— Bien sûr, dis-je.

Je suis Jeanne dans sa chambre. Comme d'habitude, la petite est habillée comme un jeune mannequin. Il faut dire que madame Prieur adore les vêtements. On dirait toujours que c'est jour de fête.

— Regarde, fait Jeanne. Des chaussures de course avec des *lacets*. Maman dit que les grandes filles savent faire leurs boucles.

— C'est fantastique, Jeanne! dis-je en regardant ses vieilles chaussures à fermeture velcro.

C'est alors que le téléphone sonne.

— La première arrivée à l'appareil!

Nous nous dirigeons toutes deux vers la cuisine en riant.

Devinez qui appelle. Louis.

— Louis... c'est que je suis occupée dans le moment.

— D'accord.

Nous raccrochons et je me sens coupable, mais je dois m'occuper de Jeanne et elle m'entraîne déjà dans sa chambre.

— Ta mère t'a vraiment gâtée, dis-je en faisant un effort ultime pour ne plus penser à Louis.

— Oui, et toutes des choses pour grandes filles. Maman m'a dit que le bébé ne saurait rien faire tout seul. (Il semble que Jeanne non plus ne sait pas si ce sera un petit frère ou une petite sœur.) Maman va donc être très occupée et je devrai être une grande fille.

Comme Jeanne ne semble pas très heureuse de cela, je m'empresse de lui dire:

— Tu es vraiment chanceuse... de nouvelles chaussures, des boucles d'oreilles... et tout ça grâce au bébé.

— Oui, maman veut s'assurer que j'aimerai le bébé.

Non! Est-ce vraiment Jeanne qui parle ou si ce sont

mes propres pensées ? En tout cas, madame Prieur a une façon bizarre de régler d'avance les problèmes de rivalité fraternelle.

Jeanne me montre deux ou trois autres choses avant que ce soit le temps de la préparer pour se coucher. Elle se brosse les dents, se lave les mains et la figure, puis saute dans son lit. Après quelques pages d'une aventure de Babar, ses yeux se ferment. J'éteins la lumière avant de sortir de la chambre sur la pointe des pieds, laissant la porte entrouverte.

Le téléphone sonne aussitôt. Je cours à la cuisine. C'est encore Louis.

— Est-ce que Jeanne dort ? demande-t-il.

— Oui, elle s'est endormie très vite.

— Je t'appelais juste pour savoir comment ça allait.

— Ça va bien.

— Parfait.

Vingt minutes plus tard, le téléphone sonne de nouveau. Je sais que je devrais répondre professionnellement, mais je dis plutôt :

— Allô, Louis.

— Tu savais que c'était moi ?

— J'en avais le pressentiment.

— Est-ce que Jeanne dort toujours ?

— Oui.

— Bon. Qu'est-ce que tu penserais de planifier une sortie ? Il doit bien y avoir un soir où tu ne gardes pas.

J'hésite un moment.

— Dis-moi seulement quand tu seras libre, dit Louis.

C'est ce que je fais et il enchaîne aussitôt :

— Parfait. Nous irons au cinéma et manger une grosse pizza après. Tout est arrangé.

Tout arrangé par Louis, ne puis-je m'empêcher de penser. Et *moi*, qu'est-ce que je deviens là-dedans ?

CHAPITRE 2

Je me fais l'impression d'être une poule mouillée.
Ce n'est pas que le cinéma me déplaise, mais je me
sens comme si j'y avais été entraînée de force.
Pourquoi Louis agit-il de la sorte? A-t-il toujours été
comme ça? Je ne pense pas. Lorsque deux personnes
ont des problèmes, il est parfois difficile de dire qui a
changé. J'imagine que c'est habituellement les deux.
Alors en quoi ai-je changé? Suis-je plus indépendante
qu'autrefois? Est-ce que j'envoie des messages contra-
dictoires à Louis? Peut-être. Je veux bien être avec
lui... mais ne pas me perdre dans cette relation.

Il n'y a qu'une seule chose à faire: appeler une amie
et lui en parler. Comme gardienne, je sais que je ne
pourrai pas parler longtemps. (Ce n'est pas une excel-
lente idée de bloquer la ligne téléphonique d'un client
toute la soirée. Les parents peuvent parfois vouloir
nous rejoindre.) Il faut donc que je choisisse la bonne
personne, quelqu'un qui connaît bien les garçons. Tous

les membres du CBS sont mes amies, mais particulièrement Diane et Christine Thomas. Claudia Kishi et
Sophie Ménard en savent cependant plus long sur les
garçons. Je tente d'abord de rejoindre Sophie, mais la
ligne est occupée. J'appelle donc Claudia sur sa ligne
privée.

Je me lamente pendant cinq bonnes minutes. Claudia
m'écoute patiemment, mais ne me fait aucune sugges-
tion. C'est parfait. J'aurais bien aimé une solution, mais
le problème m'appartient et je dois le régler toute seule.
C'est bien grâce au CBS que j'ai tant d'amies sur qui je
peux compter. Laissez-moi vous parler d'elles.

Je vais commencer par Christine Thomas pour deux
bonnes raisons. D'abord, c'est ma plus ancienne amie.
(Nous nous connaissons pratiquement depuis notre
naissance.) Ensuite, l'idée du CBS vient de Christine.
C'est tout à fait son genre d'organiser et de mener ses
idées jusqu'au bout. Elle parle un peu trop ; pas qu'elle
parle sans s'arrêter, mais elle lance souvent des choses
sans réfléchir. Elle blesse parfois des gens sans en avoir
l'intention.

Christine fait partie de la famille la plus inhabituelle
que je connaisse. Elle est née dans une famille nor-
male : un père, une mère, trois frères. Peu après la naissance de David, le plus jeune, monsieur Thomas est
parti. Christine habitait alors à côté de chez nous et je
me rappelle à quel point tout cela a été difficile pour
tout le monde. Mais madame Thomas a vite repris le
dessus ; elle s'est trouvé un travail et a réussi à garder
tout son petit monde autour d'elle. Puis, lorsque nous

avions treize ans, Christine et moi, madame Thomas s'est mise à voir régulièrement Guillaume Marchand. Ce Guillaume est millionnaire et habite un grand manoir à l'autre bout de Nouville. Lui et madame Thomas se sont finalement mariés l'été dernier.

Toute la famille Thomas a quitté la petite maison de la rue Soulanges pour aller habiter avec Guillaume. Christine n'était pas du tout heureuse de ces changements au début, mais je crois que l'acquisition de nouveaux membres dans la famille l'a forcée à prendre son parti de bonne grâce. Guillaume avait déjà deux enfants, Karen qui a sept ans et André, quatre ans. Christine les a tout de suite aimés. Ils passent chez les Marchand une fin de semaine sur deux et deux semaines complètes au cours de l'été. Mais, après avoir été mariés pendant un certain temps, Guillaume et madame Thomas ont décidé d'adopter une mignonne petite Vietnamienne de deux ans, Émilie. Un autre membre s'est joint à eux à l'arrivée d'Émilie : Nanie, la grand-mère de Christine, qui s'occupe d'Émilie lorsque les parents sont au travail. Tout le monde adore Nanie.

Revenons-en à Christine. Elle a les cheveux et les yeux bruns. Il paraît que nous avons une certaine ressemblance. Nous ne sommes pas très grandes, même si je le suis un peu plus que Christine. Elle est garçon manqué et s'occupe même d'une équipe de balle molle pour les enfants du voisinage : les Cogneurs de Christine. Christine a aussi un petit ami, même si elle ne le dit pas ouvertement. C'est Marc, l'entraîneur d'une équipe rivale de balle molle !

C'est difficile de parler de Christine sans parler de moi. Je pense que c'est parce que nous sommes de grandes amies et que nous avons beaucoup en commun. Vous me connaissez déjà un peu : j'ai les cheveux et les yeux bruns ; j'ai une belle-mère et une demi-sœur qui s'appelle Diane et qui est ma deuxième meilleure amie ; j'ai un chaton appelé Tigrou et un petit ami, Louis, avec qui j'ai certains problèmes actuellement.

En voici plus à mon sujet. Je suis *extrêmement* timide et sensible (voilà une différence entre Christine et moi), je suis romantique, et je pleure pour un rien. C'est mon père qui m'a élevée après la mort de ma mère alors que je n'étais qu'un bébé. Papa était très strict ; il avait un tas de règlements. C'est lui qui choisissait mes vêtements et qui me forçait à faire de longues tresses de mes cheveux. J'ai eu l'air d'un bébé jusqu'au début de mon secondaire. Christine n'a jamais été préoccupée par ces choses-là. (Elle porte toujours un jean, un col roulé et des chaussures de course.) Lorsque j'ai été capable de prouver à papa que je n'étais plus un bébé, il m'a laissée me coiffer à mon goût et choisir mes vêtements. (Je n'ai cependant pas le droit de me faire percer les oreilles, mais ça ne me prive pas.)

Tout comme c'était le cas avec Christine, il est aussi difficile de parler de moi sans parler de Diane puisqu'elle est ma demi-sœur. Pour commencer, je dois dire qu'elle est superbe. Elle a de longs cheveux très pâles et des yeux bleus pétillants. C'est une fille de Californie et elle n'est venue habiter Nouville qu'après le divorce de ses parents. Madame Dubreuil y avait passé son enfance et c'est ici qu'elle a décidé de s'installer avec Diane et son frère Julien. Le changement a été difficile pour les deux enfants, et Julien est même retourné vivre avec son père en Californie. Ce n'est pas la situation idéale, mais Diane et Julien font souvent le voyage pour visiter l'autre moitié de leur famille.

Je pense que Diane s'est mieux adaptée parce qu'elle est tellement individualiste. Elle est indépendante et ne se préoccupe pas de ce que les autres pensent d'elle. Elle mange et s'habille comme elle l'entend, sans suivre la mode. Diane adore lire des romans à énigmes et des histoires de fantômes, aussi imaginez sa surprise et sa joie lorsqu'elle a découvert que la vieille maison de ferme que sa mère a achetée comprenait... un passage secret, et peut-être hanté. Ce dernier conduit de la grange jusque dans la propre chambre de Diane.

Voici comment Diane et moi sommes devenues des demi-sœurs. Nous étions d'abord de bonnes amies. En regardant de vieux albums de finissants du collège de Nouville, nous nous sommes aperçues que sa mère et mon père se fréquentaient à cette époque. Ils désiraient même se marier, mais les grands-parents de Diane, d'un avis différent, expédièrent leur fille dans une université en Californie. C'est là qu'Hélène a rencontré monsieur Dubreuil, qu'ils se sont mariés et que Diane et Julien sont nés. Quoi qu'il en soit, en constatant que nos parents avaient déjà été amoureux, Diane et moi avons tout fait pour qu'ils se rencontrent de nouveau. Ils se sont fréquentés, puis ç'a été le mariage.

Claudia Kishi, un autre membre du CBS, est celle que j'ai appelée quand j'ai eu besoin de parler de Louis. Même si elle a grandi avec Christine et moi, elle a toujours été plus mature que nous. Elle porte les vêtements les plus originaux auxquels vous pouvez penser. Aussi jolie que Diane, elle est cependant bien différente. D'ascendance japonaise, elle a les cheveux longs et noirs, les yeux noirs et légèrement bridés et cette peau que nous lui envions toutes : un teint de pêche. C'est d'autant plus surprenant que Claudia est la plus grande bouffeuse de friandises que je connaisse. Comme ses parents n'approuvent pas ses choix alimentaires, elle cache des sacs de bonbons, de chocolats, de biscuits et autres sucreries partout dans sa chambre. On a toujours des surprises quand on soulève un oreiller ou qu'on ouvre un tiroir.

Claudia n'est cependant pas une étudiante modèle. Elle n'aime pas l'école et ses notes s'en ressentent. Elle ne lit que des suspenses alors que ses parents préféreraient qu'elle ait des lectures plus... intellectuelles. Comble de malheur, sa sœur aînée, Josée, est un véritable génie. L'informatique, les sciences, les langues, elle excelle en tout. Mais en revanche, Claudia est passée maître dans le domaine artistique : la peinture, la sculpture, le dessin, la fabrication de bijoux ne sont qu'un faible échantillon des arts qu'elle pratique.

La meilleure amie de Claudia est Sophie Ménard. Comme Diane, c'est une nouvelle venue à Nouville. Elle et ses parents sont arrivés de Toronto juste avant que Sophie n'entre au secondaire. Elle aussi aime les vêtements originaux et la mode. Sophie semble une fille comblée, mais sa vie n'est pas toujours ce qu'elle souhaiterait. Les Ménard ont emménagé à Nouville à la suite d'un changement dans le travail de son père. Après moins d'un an, il fut rappelé à Toronto et nous étions toutes bien tristes du départ de Sophie. Puis, survient un drame familial : le divorce de ses parents. Pire encore, son père décide de rester à Toronto alors que madame Ménard revient habiter Nouville. Sophie est placée devant le dilemme de choisir entre son père et sa mère. Elle suit finalement sa mère, mais va très fréquemment rendre visite à son père.

Côté santé, Sophie n'est pas non plus très choyée. Elle souffre d'une forme sévère de diabète. Lorsqu'une personne a le diabète, son pancréas cesse de produire de l'insuline qui enraye la présence de sucre dans le sang. Sans cela, le taux de sucre dans l'organisme monte dramatiquement et la personne peut même tomber dans le coma diabétique, un état très dangereux. La pauvre Sophie doit donc s'injecter quotidiennement des doses d'insuline (ouille ! ouille !) et suivre une diète très stricte. Les sucreries lui sont interdites et elle doit compter les calories qu'elle ingère. Dernièrement, Sophie a maigri et elle est souvent fatiguée. Nous nous inquiétons parfois pour elle.

Les deux derniers membres du Club sont plus jeunes que nous toutes. Elles s'appellent Marjorie Picard et Jessica (Jessie) Raymond, sont âgées de onze ans et toutes deux en sixième année. Ce sont les meilleures amies du monde et comme c'est souvent le cas pour les

23

amies, elles ont beaucoup en commun quoiqu'elles soient quand même bien différentes.

Voici leurs différences : Marjorie vient d'une grosse famille. Sept frères et sœurs dont trois jumeaux identiques ! Jessie vient d'une famille aux proportions plus normales : une petite sœur de huit ans, Becca, et un petit frère, Jaja, qui n'est encore qu'un bébé.

Jessie a l'ambition de devenir une ballerine professionnelle alors que Marjorie s'oriente vers les lettres. Elle écrit déjà des contes pour enfants qu'elle illustre elle-même. Vous devriez voir danser Jessie. Elle suit des cours dans une grande école de Nouville et elle a déjà tenu des premiers rôles dans des productions locales. Quant à Marjorie, elle ne nous montre pas souvent ses créations, mais lorsqu'elle se décide, nous sommes impressionnées.

Une dernière différence entre les deux : Jessie est une Noire, mais non Marjorie.

Voici maintenant leurs ressemblances : elles adorent toutes deux la lecture (surtout les histoires de chevaux) ; elles sont l'aînée de leur famille respective, mais ont l'impression d'y être traitées en bébé. Par exemple, les Picard ne permettent pas à Marjorie de porter des verres de contact au lieu de ses lunettes. Elles ont cependant réussi à se faire percer les oreilles.

Je suis tellement heureuse d'avoir toutes ces amies du Club des baby-sitters. Si ça pouvait exister, on jurerait Les Sept Mousquetaires. Oh ! nous avons bien nos petits accrochages, mais nous sommes liées comme les doigts de la main et prêtes à tout faire l'une pour l'autre.

CHAPITRE 3

— *Qu'est-ce que c'est?* demandé-je, horrifiée.

Claudia n'a pas l'air plus rassurée que moi.

Nous sommes dans sa chambre avec Diane et Marjorie, attendant le début d'une réunion du CBS. Une grande tache brune s'étend au pied de son couvre-lit.

— Mon Dieu! dit Claudia en se penchant pour examiner de plus près et sentir.

— Dégueulasse! s'exclame Marjorie. Comment peux-tu faire ça?

— Ce n'est que du chocolat, fait Claudia, soulagée. J'imagine que ce n'était pas le meilleur endroit pour en cacher.

— Qu'est-ce que tes parents vont dire? s'inquiète Diane.

Claudia hausse les épaules. Elle retrousse le couvre-lit pour cacher la tache.

— Je me ferai de la bile plus tard, fait-elle en se tassant contre le mur.

Elle porte un grand chemisier framboise, une courte jupe noire et des collants noirs. Ses pieds sont chaussés de bottes de cow-boy noires.

Je m'assois près d'elle (de l'autre côté de la tache). Comparée à Claudia, j'ai l'air d'une petite fille modèle avec mon pantalon bleu et mon t-shirt aux manches roulées.

Christine arrive à la course.

— Où est tout le monde? demande-t-elle immédiatement. Il est déjà dix-sept heures vingt-cinq.

— Elles vont arriver, fait calmement Claudia.

Elle a bien raison. Une minute avant dix-sept heures trente, nous sommes toutes à nos places respectives. Dès que l'heure exacte s'affiche sur le réveil de Claudia, Christine lance:

— À l'ordre!

Comme présidente, c'est elle qui dirige les réunions. D'ailleurs, le Club est son idée. Il y a un peu plus d'un an, alors qu'elle habitait toujours à côté de chez nous et que sa mère n'était pas encore remariée, Christine et ses deux frères aînés gardaient David à tour de rôle au retour de l'école. Tout allait bien jusqu'au soir où les trois étant occupés, madame Thomas dut chercher une gardienne. Tout en mangeant sa pizza, Christine vit sa mère faire appel sur appel sans succès. C'est là qu'elle a eu l'idée géniale d'un club de gardiennes. Si les parents n'avaient qu'un téléphone à faire pour trouver plusieurs gardiennes responsables, ce serait le succès assuré.

Christine nous en a parlé à Claudia et à moi et nous avons aussitôt recruté un quatrième membre. C'est là que Sophie, nouvelle à l'école, s'est jointe à nous.

Nous avions une affaire... mais personne ne le savait. Nous avons donc décidé de faire de la publicité : circulaires, annonces dans les journaux locaux, bouche à oreille. Nous disions aux parents que nos réunions avaient lieu le lundi, mercredi et vendredi, de dix-sept heures trente à dix-huit heures chez Claudia.

Les appels ont commencé dès la première réunion. L'affaire grossit depuis ce temps. Après quelques mois, débordées, nous avons décidé de prendre un autre membre. Diane venait d'arriver de Californie et, comme nous étions amies, elle a accepté de faire partie du Club. Puis, Sophie devant partir, ce sont Marjorie et Jessie qui se sont jointes au groupe. Puis Sophie est revenue à Nouville. Bien entendu, elle a vite réintégré le CBS. Mais avec sept membres, nous pensons que c'est plus qu'assez. La chambre de Claudia est bondée !

Tous les membres ont une fonction dans le Club. Comme je l'ai déjà dit, Christine est présidente. C'est elle qui en a eu l'idée, mais c'est aussi elle qui a les éclairs de génie et elle sait conduire une réunion. Elle nous fait tenir un journal de bord. Chacune y écrit un compte rendu de ses gardes. Ainsi, nous sommes toutes au courant de ce qui va et ne va pas chez tous nos clients. Pour cela, il faut le lire au moins une fois par semaine.

Christine a aussi décidé qu'un agenda serait utile. Nous y trouvons les noms, adresses et numéros de téléphone de nos clients ainsi que l'argent que chacune gagne. Sur les pages de rendez-vous, chaque garde est notée.

Une autre des bonnes idées de Christine, ce sont les trousses à surprises, de simples boîtes de carton que nous avons décorées et remplies de toutes sortes de jeux, de livres, de cahiers à colorier et de crayons dont nous ne nous servons plus. Nous apportons nos trousses à surprises dans certaines de nos gardes et les enfants en raffolent. Tout le monde est donc heureux !

Claudia est vice-présidente du CBS. Puisque nous utilisons sa chambre, sa ligne de téléphone privée et mangeons ses friandises, le titre lui revient de droit.

Je suis la secrétaire du Club et donc responsable de tenir l'agenda à jour. C'est aussi moi qui inscris chaque garde en tenant compte des activités de chacune. De plus, Christine pense que c'est moi qui écris le mieux.

Notre trésorière est Sophie. Son travail est de recueillir les cotisations de chaque membre, une fois par semaine. Elle le redistribue lorsque nécessaire : payer Charles qui transporte Christine depuis qu'ils demeurent à l'autre bout de la ville ; remplacer les objets des trousses à surprises ; aider Claudia à payer son compte de téléphone.

Diane est officier suppléant. Elle remplace ceux des membres qui doivent s'absenter. Ainsi, c'est elle qui a été trésorière lorsque Sophie est retournée à Toronto. Elle connaît assez les responsabilités de chacune pour accomplir leur tâche efficacement.

Marjorie et Jessie sont nos membres débutants. Ça veut simplement dire qu'à cause de leur jeune âge, elles n'ont pas la permission de garder le soir, à moins que ce soit dans leur propre famille. Elles prennent les gardes de fins d'après-midi et de fin de semaine, nous libérant ainsi pour les gardes de soirée.

Mais le croiriez-vous ? Même avec sept membres, il arrive que nous devions recourir à nos membres associés pour certaines gardes. Il s'agit donc de demander à Louis Brunet (oui, mon petit ami) ou à Chantal Chrétien (une amie de Christine habitant son nouveau quartier) de nous remplacer.

Notre Club est très efficace (grâce surtout à Christine). Je suis fière d'en faire partie.

Lorsque Christine lance : « À l'ordre ! » nous nous redressons toutes. Il faut écouter la présidente.

— Parfait, continue Christine. C'est lundi, journée des cotisations.

Nous grognons un peu par principe lorsque Sophie recueille l'argent avec une petite lueur cupide dans le regard. (Elle adore l'amasser, mais se fait un peu prier pour s'en départir.) Une fois l'argent dans la petite caisse, Christine demande :

— Y a-t-il des affaires à régler ?

Nous secouons la tête. Tout roule comme sur des roulettes.

— Comment va madame Prieur ? s'informe alors Christine.

— Elle va bien, dis-je. Elle va avoir...

— Ne nous dis pas de quel sexe va être le bébé ! crie Jessie.

— Mais non, je voulais juste dire que c'est pour

bientôt. Dans quelques semaines à peine.

Le téléphone sonne au même moment et Diane répond.

— Bonjour, le Club des baby-sitters... Bonjour, madame Othier... Vendredi soir?... Je vous rappelle tout de suite.

Diane raccroche et se tourne vers moi.

— Madame Othier veut quelqu'un vendredi soir. Qui est libre?

— Attends, dis-je en feuilletant l'agenda. Christine est libre et toi aussi, Sophie.

— Prends donc le travail, Sophie. Tu restes plus près des Othier que moi. De plus, André et Karen seront là en fin de semaine. J'aimerais bien les voir un petit peu.

C'est comme ça que nous distribuons le travail. Pas de chicane.

Diane rappelle madame Othier pour l'aviser que Sophie sera chez elle vendredi soir.

Dès qu'elle a raccroché, le téléphone sonne de nouveau. Puis deux autres fois. Un des appels provient de monsieur Prieur, le père de Jeanne. C'est rare qu'il appelle.

— Trois d'entre nous? fait Jessie après nous avoir chuchoté de qui venait l'appel. C'est plutôt exceptionnel, monsieur Prieur, mais ça semble intéressant. Laissez-moi vous rappeler... Comment, vous êtes au travail? Oh! je comprends.

Jessie note un numéro de téléphone et raccroche.

— Qu'est-ce qui se passe? demande Christine.

— Monsieur Prieur veut faire une fête-surprise à sa

femme pour la venue du bébé. Il aurait besoin de l'aide de trois d'entre nous : une pour garder Jeanne et deux pour décorer la maison et servir le goûter.

— Eh bien, je pense que ça peut s'arranger, dit Christine. Les Prieur sont de bons clients. Y a-t-il trois filles de libres ? me demande-t-elle alors.

Jessie me donne la date et l'heure de la fête et je consulte l'agenda. Claudia, Sophie et moi sommes libres. Nous irons donc chez les Prieur.

CHAPITRE 4

Ahhh!...

Ça fait longtemps que j'en rêve. Un beau samedi après-midi neigeux, et j'ai terminé mes devoirs. Pas de gardes, rien au programme. Je suis *libre*. Avec la neige qui tombe à l'extérieur, c'est la journée idéale pour ne pas bouger. Je pourrais tricoter un pull ou commencer un cadeau pour le futur bébé Prieur, un bonnet ou des chaussons.

Ou je pourrais lire. Oui, c'est bien ce dont j'ai envie. Papa vient de faire un feu dans la salle de séjour et je meurs d'envie de m'écraser devant et de relire *Les Hauts de Hurlevent*. C'est bien la troisième fois que je le lis, mais mon plaisir est encore plus grand.

J'attrape donc mon livre, mon édredon que j'enroule autour de mes épaules et je descends au premier. Je m'assois devant le foyer et commence ma lecture. «1801. Je viens de rentrer après une visite à mon propriétaire...» Me voilà transportée dans la vieille

Angleterre, les landes, Heathcliff, Cathy et l'amour.

La maison est silencieuse si ce n'est que l'on entend un craquement dans le feu de temps à autre. Diane est chez Claudia; papa dans son bureau et Hélène court les antiquités.

Je jouis de mon livre, de la chaleur et de la tranquillité pendant dix minutes lorsque j'entends la sonnette de l'entrée.

— J'y vais, papa, dis-je en soupirant.

Je me rends lentement vers la porte et je regarde par la fenêtre de côté avant d'ouvrir. Devinez qui se tient dans les marches? Louis.

Il ne m'a pas dit qu'il viendrait aujourd'hui. En tout cas, pas que je me souvienne.

J'ouvre la porte.

— Surprise! lance-t-il en riant.

Je reste là sans bouger. La moitié de mon esprit est toujours dans les landes avec Heathcliff et Cathy, l'autre moitié cherchant à deviner ce que Louis peut bien faire là.

— Vas-tu me laisser entrer? me lance Louis après quelques secondes.

— Oh! oui, oui, dis-je en reculant de quelques pas.

Une fois dans le vestibule, Louis n'enlève même pas son manteau.

— Allons dehors, dit-il. C'est la journée parfaite pour aller patiner. (Ses patins pendent sur son épaule.)

Comme je ne dis rien, Louis continue.

— Je sais que tu n'as rien à faire, car Diane me l'a dit.

— Je… j'étais…

— Allez, viens. D'abord du patin, puis une promenade sous la neige…

Je regarde le feu qui crépite et mon livre ouvert.
Louis a tellement l'air excité. Il ajoute même qu'il avait
planifié cet après-midi romantique juste pour nous
deux.

Comment le renvoyer ? Je ne le peux pas.

— Papa ? Louis est ici. Nous allons au parc pour
quelques heures, d'accord ?

— Parfait, répond mon père.

Je prends donc mes patins, je m'habille et nous partons. Je dois admettre que la promenade est agréable.
Louis parle tout le long et ça fait mon affaire, n'ayant
pas vraiment envie de le faire moi-même.

Le parc est bondé. Les enfants en habits colorés ont
l'air de confetti sur la neige éblouissante.

— J'ai tout planifié, me dit Louis. On patine d'abord.

— C'est bien, dis-je en m'assoyant sur un banc près
de l'étang.

En riant, nous laçons nos patins, Louis les miens et
moi les siens. Puis, bras dessus, bras dessous, nous
avançons sur la glace. Louis m'entraîne et je dois le
tenir ferme car je ne suis pas une très bonne patineuse.
En fait, contrairement à Christine, je n'excelle dans
aucun sport. Je pense même que j'ai un problème de
coordination.

— Louis ! Ralentis !

— Oh, tu veux un petit tour pépère ? C'est une
bonne idée.

Louis lâche ma main et reprend mon bras. Nous tournons et tournons encore. Nous contournons des enfants et, à deux reprises, je passe bien près de tomber. Mais tout va bien... jusqu'à ce que mes orteils soient gelés.

Je ralentis et ralentis encore. Je ne sens plus mes pieds.

— Anne-Marie ? fait Louis.

— Est-ce qu'on pourrait arrêter ? demandé-je. J'ai les pieds...

— Moi aussi, je suis fatigué de patiner, dit Louis.

Fiou ! Quel soulagement !

Nous retournons à notre banc pour enlever nos patins. Je frotte mes pieds jusqu'à ce que je sente un peu de chaleur y circuler.

Dès qu'on a enfilé nos bottes, Louis saute sur ses pieds, les patins sur l'épaule.

— On va jouer avec les enfants ! crie-t-il alors. Regarde là-bas.

Je me tourne dans la direction que pointe Louis et j'aperçois des enfants qui construisent un bonhomme de neige.

Nous n'en connaissons aucun, mais Louis se dirige vers eux avec assurance.

— Avez-vous besoin d'aide ? demande-t-il à deux petites filles qui tentent de hisser la tête du bonhomme sur le tronc.

— Oui ! disent-elles.

Louis installe la tête sur le bonhomme.

— Merci ! Vas-tu nous aider à trouver des pierres et des bâtons pour le terminer ?

— Bien sûr ! Viens, Anne-Marie.

Louis se met joyeusement à la tâche. Je le suis jusqu'à ce que mes pieds me fassent de nouveau souffrir.

— Louis, je suis…

Mais Louis ne m'entend pas. Il est bien trop occupé à fabriquer un visage au bonhomme. Lorsque le bonhomme est terminé, Louis me prend la main et m'entraîne dans un coin discret du parc. J'ai peine à marcher, je ne sens plus mes pieds.

— Faisons des anges, dit Louis en se laissant tomber sur le dos, les bras écartés.

— Louis…

— Allez, viens. On fait comme si on était encore des enfants.

— Mais Louis, je suis gelée.

— Oh ! Allons prendre un chocolat chaud au casse-croûte.

Louis achète deux chocolats chauds couverts de crème fouettée. Je tiens ma tasse un moment, heureuse de la chaleur qui gagne mes mains.

Je n'ai pas que les pieds gelés ; tout mon corps frissonne ; mes dents claquent dans ma bouche.

Nous finissons nos boissons et retournons lentement à travers le parc. Louis n'en finit pas d'admirer les branches enneigées, les buissons totalement enfouis sous des monticules blancs et les glaçons qui pendent de partout. Nous apercevons même un cardinal mâle qui vole d'un arbre à l'autre, tache de rouge contre le ciel gris. Je m'exclame de ravissement. Louis semble enchanté de ma joie.

— Louis, je suis désolée, mais je *gèle*.

— Tu ne peux pas avoir aussi froid que ça, Anne-Marie. Je n'ai pas froid, moi. (Louis ne porte même pas de gants.)

Pourquoi pense-t-il que j'exagère ? Je suis gelée pour vrai.

Louis se dirige vers l'étang.

— Un autre petit tour ? demande-t-il.

Aller *patiner* ? Non, non, non...

C'est le temps de me faire entendre. Ce ne sera pas facile. J'ai un peu de peine à parler avec force avec qui que ce soit. Mais comme mon corps se transforme lentement en iceberg, je lui dis :

— Louis, est-ce qu'on peut retourner à la maison maintenant ? J'ai réellement très froid.

Louis me regarde longuement.

— D'accord, bougonne-t-il en partant devant moi.

Je réussis à pousser un soupir.

CHAPITRE 5

Samedi

J'ai beau avoir treize ans, je suis encore excitée par la Saint-Valentin, comme quand j'étais petite. Je suis donc bien heureuse de garder mes jeunes frères et sœurs et d'apprendre que David veut fabriquer des valentins pour les élèves de sa classe. Un projet très amusant !

Mais j'ai aussi un problème sur les bras : Karen. Elle et son frère André sont ici pour la fin de semaine. Karen a un « petit ami » avec lequel elle se querelle passablement souvent. Elle me dit qu'ils devaient se marier, mais que tout est maintenant annulé. Karen est triste et j'essaie de parler avec elle, de contrôler André qui est une vraie peste (très étonnant) et de surveiller David... et Émilie qui adore tout ce qui touche à la colle.

Tout de suite après le dîner, Nanie, la grand-mère de Christine, quitte la maison avec des amis pour aller au cinéma, Guillaume et madame Thomas partent magasiner, Charles est déjà parti dans sa vieille voiture et Sébastien est à l'école pour un projet spécial.

Christine garde donc David, Karen, André et Émilie. Il fait gris et les deux garçons sont très excités : ils courent à travers la maison en criant pour rien. On jurerait qu'ils se poursuivent, mais Christine a du mal à deviner qui poursuit qui. Ce n'est donc qu'un exutoire à un trop-plein d'énergie.

La course a débuté depuis cinq minutes lorsque Émilie s'y joint. Pas très sûre d'elle sur ses jambes, elle n'arrive pas à les rattraper, mais ses cris n'ont rien à leur envier. André et David n'en finissent pas de la dépasser et ce jeu de poursuite rappelle à Christine « Le lièvre et la tortue ».

Normalement, Christine aurait empêché les enfants de courir ainsi. (C'est le genre d'activité qui conduit souvent aux larmes ou aux blessures.) Mais les enfants s'amusent tellement qu'elle les laisse aller. De plus, elle s'inquiète un peu au sujet de Karen.

Cette dernière est assise sur la dernière marche de l'escalier depuis le départ de tout le monde. Le menton dans les mains, elle paraît indifférente aux trois autres qui hurlent en passant devant elle. Elle reste assise là, songeuse. Non, se dit Christine, pas songeuse, triste. Karen a l'air triste.

— Karen ? fait Christine.

La petite ne répond pas. Sans bouger, elle lève les yeux vers Christine.

— Allez, Karen, dit Christine en lui prenant les mains. Parlons un peu. On va aller dans le salon pour avoir la paix.

Karen se lève sans un mot et laisse Christine la conduire au salon. Christine referme en partie la porte. Elle doit quand même porter une oreille attentive aux trois autres.

— Qu'est-ce qui ne va pas? demande Christine. Je t'ai rarement vue comme ça.

— Comme quoi?

— Triste comme une journée sans pain, reprend Christine, en souhaitant un sourire de Karen.

Pas de chance. Tout ce qu'elle obtient c'est:

— Je me sens comme une journée sans pain.

— Pourquoi? Qu'est-ce qui t'arrive?

Karen hausse les épaules, puis les larmes remplissent ses yeux.

— C'est Richard, finit-elle par articuler.

— Richard Tremblay? demande Christine qui essaie toujours de se tenir au courant de la vie de Karen et André, même si elle ne les voit pas souvent.

Karen hoche lentement la tête. Ses yeux sont rouges, mais aucune larme ne s'en échappe.

— Est-ce qu'il te taquine toujours?

— C'est pire que ça.

— Quoi alors?

— Nous devions nous marier. Il m'avait fait sa demande et tout, mais on s'est querellés et depuis on ne se parle plus.

— À propos de quoi vous êtes-vous querellés? s'inquiète Christine.

— C'était niaiseux.

— La plupart des querelles commencent un peu pour rien, dit Christine.

Au même moment, elles entendent une chute. En moins d'une seconde, Christine est sur pied et court vers le lieu du drame. Elle est soulagée de ne pas entendre de sanglots.

— Qu'est-ce qui est arrivé ? crie-t-elle.

— C'est Émilie qui est tombée, mais elle ne s'est pas fait mal, explique David.

Christine arrive dans la cuisine où André aide Émilie à se relever.

— Encore ! crie la petite.

— Non, c'est fini, dit Christine en souriant. Fini le jeu, Émilie. Vous deux aussi d'ailleurs, ajoute-t-elle en regardant André et David.

— Qu'est-ce qu'on va faire alors ? demande David.

— Eh bien, il n'y a pas une fête qui s'en vient à pas de géant ?

Une pause, puis :

— La Saint-Valentin ! crie David.

— Pourquoi ne pas fabriquer des cartes pour les amis de ta classe ? suggère Christine.

— D'accord.

— Mais j'ai déjà fait des cartes avec Karen, dit André.

— Tu pourras peut-être aider Émilie alors. Elle n'a jamais fait de valentins avant. Je suis certaine qu'elle aimera travailler avec toi.

Christine étend donc des journaux sur la table de la

cuisine et sort un assortiment de papier, pinceaux, peinture et crayons. (Karen n'est toujours pas sortie du salon et Christine décide de l'y laisser et de poursuivre leur discussion plus tard.)

David s'empare d'une feuille de papier bristol rouge et de la paire de ciseaux. Il découpe un cœur, prend un crayon-feutre et écrit :

Joyeuse Saint-Valentin !
Joyeuse Saint-Valentin !
Tu ressembles à un singe capucin,
Et comme lui, tu sens le crottin.

— David ! À qui vas-tu donner ça ?

— À Michel Masson. C'est un mal élevé et il agace toutes les filles. Humm... fait-il après un moment, je ferais mieux de ne pas le signer.

Christine secoue la tête avant d'aller rejoindre Karen.

— Viens dans la cuisine, Karen. Je sais que tu as déjà fait tes valentins, mais j'aimerais garder un œil sur les autres tout en te parlant.

Karen pousse un profond soupir, se lève et suit Christine. Comme les enfants travaillent d'un côté de la table, Christine tire le banc vide de l'autre côté un peu plus loin. Karen et elle s'y installent, chacune à un bout.

— Bon, à propos de quoi vous êtes-vous querellés ? demande-t-elle enfin.

— Avec Richard? Eh bien... Tout le monde a été invité à l'anniversaire de Paméla, même si elle ne nous aime pas, Richard, Nancy, Annie et moi. Ses parents l'ont obligée à le faire et *nos* parents nous ont obligés à y aller. Mais Richard et moi avions décidé de tout faire pour gâcher la fête. Richard avait même pensé donner une couleuvre à Paméla comme présent. Mais il n'a rien fait de ça, il lui a même souri.

— Peut-être es-tu un peu jalouse? dit gentiment Christine.

— Je ne sais pas. En tout cas, nous avons cessé de nous parler et puis Richard a versé de l'encre sur mon dessin. Alors, j'ai mis de la gomme déjà mâchée partout dans son pupitre et... c'est affreux. Je pense qu'on ne pourra plus se marier. Mais je ne peux pas en être certaine puisqu'on ne se parle plus.

— C'est difficile en effet, dit Christine. Mais tu sais, quelquefois, les choses se résolvent d'elles-mêmes.

— Quoi?

— Oui. Elles ont une façon bien à elles de tout régler.

— Oh! fait Karen en regardant dans le vide.

Au même moment, Christine voit André jeter des brillants dans les cheveux de David.

— Tu as l'air d'un punk! lance André.

— André, intervient Christine, je ne crois pas que David apprécie ce que tu fais là. Regarde Émilie... je pense qu'elle aurait besoin d'aide.

La petite a réussi à ouvrir la bouteille de colle blanche; elle en a plein les mains, mais avant que Christine ait fini de parler à André, elle s'en est mis dans les cheveux et sur la figure.

— Oh, oh! marmonne Christine. C'est l'heure du bain, Émilie.

— NON! crie cette dernière.

— Je suis tellement triste, poursuit Karen.

— Tu es une vraie face de singe! lance André à David.

— Ferme-la, réplique David.

— Sois poli, David, fait Christine. Viens, dit-elle à Émilie. Je vais te débarbouiller à l'évier de la cuisine pour le moment. André, cesse d'agacer ton frère et David, calme-toi. Tu as déjà fait cinq valentins qui sont très beaux; tu devrais continuer. Et toi, Karen, va chercher un livre et je vous lirai une histoire pendant que David et Émilie continuent leurs travaux.

Karen pousse un soupir comme si on lui demandait de nettoyer la maison entière. Elle se lève lentement, quitte la cuisine et revient au bout de dix minutes avec un livre qui raconte l'histoire d'un chien perdu.

— Tu n'aurais pas pu trouver quelque chose d'un peu plus gai? demande Christine.

— Non, répond Karen en soupirant de nouveau.

Christine sourit intérieurement. Ah! les petites peines et les vicissitudes des sept ans, songe-t-elle. Elle leur lit l'histoire et l'après-midi se poursuit calmement.

CHAPITRE 6

— Je suis là! crié-je.

C'est vendredi. Il est à peine vingt et une heures et je suis déjà de retour. Louis et moi avons mangé en ville et devions aller au cinéma, mais tout ne s'est pas passé selon nos prévisions, comme vous allez le voir.

Après s'être installés au restaurant, nous consultons le menu qui est, ma foi, fort élaboré. Je n'ai cependant aucun mal à me faire une idée: depuis cet après-midi, je rêve d'un sandwich grillé au fromage et aux tomates et d'un lait frappé à la vanille.

Dès que Louis referme son menu, un serveur se pointe à notre table.

— Qu'est-ce qu'on peut vous servir? demande-t-il avec un sourire.

J'ouvre la bouche pour donner ma commande, mais avant qu'un son ne franchisse mes lèvres, Louis dit:

— Je prendrai un cheeseburger de luxe et un grand Coke, et mon amie prendra la même chose.

Je regarde Louis. C'est souvent ce que je prends au restaurant, mais ce n'est pas ce que je veux maintenant. Trop tard: le serveur en a déjà pris note et s'éloigne.

— Louis, dis-je alors, ce… ce n'est pas vraiment ce que je voulais.

— Non? Désolé. Je vais rappeler le serveur.

— Non, ça va, marmonné-je en évitant de donner au repas une tournure de discussion.

En fait, nous ne parlons pas beaucoup pendant tout le souper. Mais à la fin, Louis se frotte les mains d'un air satisfait.

— Parfait! C'est l'heure d'aller voir *Halloween III*.

— *Halloween III*?

— Oui. Je sais qu'il est à l'affiche depuis un certain temps, mais je ne l'ai pas encore vu et on le présente juste à côté. J'espère que tu ne l'as pas vu, Anne-Marie.

— Non… mais je croyais qu'on allait voir *Les Aventuriers de l'arche perdue*.

— Quoi? C'est un vrai film d'enfants, m'informe Louis.

— Mais les films d'halloween sont tellement vulgaires.

— Alors, qu'est-ce que tu décides?

— Je pense que je vais rentrer à la maison.

Louis me dévisage, puis il se lève et va appeler un de ses parents pour lui demander de venir nous chercher.

Nous n'allons donc pas au cinéma et c'est pourquoi j'arrive si tôt à la maison. Je suis fatiguée et pas particulièrement de bonne humeur.

Louis m'épuise.

— Anne-Marie ? C'est toi ? Tu arrives tôt. Viens me rejoindre dans mon bureau.

Je me laisse tomber dans un fauteuil en face de papa.

— Où sont Diane et Hélène ?

— Elles sont allées à l'épicerie et devraient bientôt être de retour. Je suis content qu'on ait quelques moments de solitude, toi et moi. Je veux te parler.

D'habitude, ces seuls mots (« Je veux te parler ») me mettent sur les dents. Ils ne veulent jamais rien dire de bon. Mais j'ai encore l'esprit occupé par ma sortie avec Louis. Rien de pire n'aurait pu arriver.

— D'accord, dis-je simplement.

— Eh bien, commence papa en s'éclaircissant la gorge, je crois que toi et Louis passez trop de temps ensemble.

Je hoche la tête.

— Je ne m'inquiète pas. Je pense simplement qu'on ne te voit plus… et que tu me manques. (Ça ne doit pas être facile à dire pour papa.) Aussi, tu n'as pas l'air si heureuse ces derniers temps. Et tes notes en français n'ont jamais été si basses. Ça ne te ressemble pas.

— Je sais.

— Je crois que toi et Louis devriez vous voir moins souvent. Je sais que c'est difficile pour toi de m'entendre dire ça, mais s'il le faut, nous déciderons ensemble combien d'heures vous pourriez passer ensemble toutes les fins de semaine.

— Non, dis-je. Ce n'est pas nécessaire. Je vois trop Louis. Je suis fatiguée. Et je suis déçue de mes notes en français. Tu as raison, papa.

Mon père a l'air tellement surpris que je pouffe de rire.

— J'ai *raison*? Depuis quand les parents ont-ils donc raison? me taquine papa.

— Presque jamais; c'est une des rares fois.

C'est au tour de papa de rire.

— Je vais téléphoner à Louis, ce soir, et lui parler. Je...

Mais j'entends la porte arrière. Diane et Hélène sont de retour; la conversation est terminée. Je crois que papa et moi sommes soulagés.

— Eh! lance Diane en me voyant. Déjà à la maison? Qu'est-ce qui s'est passé?

— Allons parler en haut, lui dis-je.

(J'aperçois le regard qu'échangent papa et Hélène.) Diane me suit dans ma chambre.

— Alors, qu'est-ce qui est arrivé?

— Notre sortie n'a pas été un succès, dis-je simplement.

Diane fronce les sourcils. Je lui raconte le repas et notre sortie ratée.

— Lorsque je suis revenue, continué-je, papa voulait me parler.

— Oh! fait Diane. Maman et moi ne sommes pas arrivées au bon moment, alors.

— Ça va, nous avions pratiquement terminé.

— De quoi voulait te parler ton père?

— De Louis et de moi. Il croit que nous passons trop de temps ensemble.

— Oh! oh! Qu'est-ce qu'il va faire?

— Rien. Il a raison.

— Quoi ?

— Oui. Ça ne va pas entre Louis et moi. Je ne suis pas toujours très heureuse en sa compagnie. On dirait qu'il prend la direction de ma vie. Je ne me sens plus l'Anne-Marie d'autrefois. On dirait que Louis me vole quelque chose.

— Est-ce lui qui te vole quelque chose ou si c'est toi qui le lui laisses prendre ? me demande Diane.

— Je crois que je le laisse faire, dis-je lentement. J'aurais pu réagir, mais je ne l'ai pas fait jusqu'ici.

— Qu'est-ce que tu vas faire ?

J'ai une réponse toute prête.

— Je vais appeler Louis, dès maintenant, et lui dire qu'on va laisser les choses se tasser. J'ai besoin de temps pour réfléchir. Puis, quand on se reverra, on pourra reprendre sur une base différente. Ça va être difficile, mais je crois que c'est mieux ainsi pour lui et moi.

— Oh ! là là ! fait Diane. Je n'aurais jamais pensé t'entendre parler comme ça un jour. Je vous voyais sortir ensemble tout le long du collège, puis de l'université, vous marier et avoir deux ou trois enfants. Et…

— Diane, arrête ! Je veux réfléchir, pas rompre à tout jamais ! Ensuite, je n'ai que treize ans et je ne pense pas encore au mariage. Croyais-tu vraiment que je me marierais avec Louis ?

— Oui, et je serais la demoiselle d'honneur…

— Je n'ai pas encore planifié mon mariage. J'aimerais d'abord terminer mon secondaire.

— Je vais te laisser, me dit Diane en quittant la

chambre. Tu as besoin d'intimité pour appeler Louis. Prends le téléphone dans la chambre des parents. Je serai dans ma chambre si tu as besoin de moi.

— Merci, Diane.

Je peux encore changer d'idée. Je ne suis pas obligée d'appeler Louis. Mais je le fais quand même. C'est lui qui répond.

— Allô ! lance-t-il, dès qu'il reconnaît ma voix. (Il pense probablement que je téléphone pour m'excuser.)

— Louis, commencé-je, ce ne sera pas facile pour moi de te dire ce qu'il faut que je te dise, mais je…

— Tu veux t'excuser, n'est-ce pas ?

— Pas vraiment, lui dis-je. Je veux te dire qu'il faut qu'on espace nos rencontres. Je pense…

— Espacer nos rencontres ? Pourquoi ?

— Je vais t'expliquer si tu me laisses parler.

— Ça va, ça va.

— Je pense qu'on se voit trop. J'ai l'impression que tu diriges ma vie. Tu planifies tout pour moi. Tu veux toujours être avec moi… et j'aime bien être avec toi… mais, je ne sais pas… Je crois que tu ne me comprends pas toujours.

Un silence s'installe. C'est Louis qui reprend.

— D'accord, fait-il d'un ton bizarre.

— Laissons passer quelques semaines, continué-je d'une voix qui commence à trembler. (Je n'arrive pas à croire à ce que je suis en train de faire.) Puis, quand on aura passé un certain temps chacun de notre côté, on se reverra.

— D'accord.

— Eh bien… au revoir.

— Au revoir. Bonne nuit, dit Louis.

Je raccroche, puis j'éclate en sanglots. Je pleure très longtemps.

CHAPITRE 7

Des cris, des claquements ; c'est lundi matin à l'école secondaire de Nouville. Je me demande ce que me réserve ma journée. C'est la première fois que je vais voir Louis depuis mon téléphone de vendredi soir.

Est-ce qu'il va respecter ce que je lui ai demandé ? Ou va-t-il m'attendre devant mon casier, comme d'habitude, mais avec des questions et des excuses ?

Je m'approche de mon casier d'un pas hésitant.

— Anne-Marie ? demande Diane qui marche avec moi. Ça va bien ? Tu as l'air drôle.

— Je pensais...

Je vois Louis au même moment.

Le voilà qui vient à ma rencontre. Mon casier est entre nous deux. Il a donc décidé de venir m'attendre comme il le fait toujours.

Encore un pas ou deux...

Louis passe près de Diane et moi, sans sourire ni nous saluer. Il ne nous regarde même pas. C'est affreux. Mais je me dis que c'est mieux pour nos relations.

— Anne-Marie ? Ça va ? demande Diane une deuxième fois.

— Oui.

— Louis nous a totalement ignorées.

— Je sais. J'imagine que c'est ce que je lui ai demandé.

Diane me fait un bizarre de sourire, puis s'éloigne.

J'ouvre mon casier nerveusement. J'espère trouver une note dans le haut de la porte, notre boîte aux lettres à Louis et à moi. Il est peut-être arrivé avant moi, a pris la peine de glisser une note, puis a évité de me regarder parce qu'il savait que c'était ce que je voulais.

Mais il n'y a pas de note.

Il y a assemblée des étudiants ce matin. Je ne prête pas vraiment attention à ce qui se dit. Louis est assis quatre rangées devant moi ; je le vois parfaitement bien. Et s'il tourne légèrement la tête vers la gauche, il va très bien me voir aussi.

Mais nous ne nous jetons qu'un petit coup d'œil. Et c'est parce que quelqu'un a échappé un livre et qu'en cherchant d'où venait le bruit nos regards se sont croisés.

Inutile de dire que Louis ne s'assoit pas avec Diane, Christine, Sophie, Claudia et moi au dîner. Ce n'est pas qu'il mange toujours avec nous, mais il le fait souvent. Depuis quelques semaines, il n'a pas manqué un seul dîner. Il lui arrive même de se tasser tellement contre moi qu'il est presque dans mon assiette. Quelquefois, il me fait goûter à certaines friandises de son lunch, ce qui est romantique, mais embarrassant.

Nous sommes donc assises toutes les cinq, à la même table que d'habitude. Une fois installées, Christine regarde autour d'elle.

— Où est Louis ? Ne devrait-il pas être sur tes genoux ? demande-t-elle.

— Il ne s'assoit pas sur mes genoux, répliqué-je.

— Désolée, dit Christine. Mais où est-il donc ?

Je jette un œil à Diane. C'est la seule qui est au courant de ce qui se passe entre Louis et moi. Je sais que je devrais en parler à tout le monde, parce qu'on n'a pas de secret entre nous. Mais je préfère attendre un autre moment.

— Oh ! Louis est avec des copains, dis-je à Christine. Tu le vois ? Là-bas.

Personne ne pose de questions. Nous mangeons, nous parlons de la bouffe, puis des réactions de Jeanne Prieur lorsque le bébé arrivera. Et l'heure du dîner se termine sur cette note. Fiou !

À la fin de la journée, je suis vidée.

En me dirigeant vers mon casier après la dernière cloche, j'aperçois Louis qui m'attend. Enfin, je le présume, mais c'est vrai qu'il y a des casiers alignés des deux côtés du corridor.

Je ralentis. Qu'est-ce que je vais lui dire? Que va-t-il me dire? Peut-être qu'il a bien réfléchi et qu'il préfère qu'on rompe. Nooon. Je ne veux pas ça.

Lorsque j'arrive enfin devant mon casier, me sentant comme si je marchais au fond de l'eau, je regarde Louis dans les yeux. Il regarde dans les miens.

— Je voulais juste te saluer, dit-il sérieusement.

— Oh! Salut.

— À bientôt, dit-il encore avant de s'éloigner.

Je le suis du regard. Tout est bien ainsi. Nous nous sommes au moins parlé. C'est mieux que de se tourner le dos.

À la maison, le même soir, alors que Diane et moi sommes censées faire nos devoirs, je n'arrive pas à me concentrer sur quoi que ce soit... sauf sur Louis. Mais le roman que je suis en train de lire se transforme en une histoire où Louis et moi sommes les héros.

— C'est ridicule, dis-je à haute voix.

— Anne-Marie? appelle Diane de sa chambre.

— Quoi? Est-ce que je peux venir te voir? J'ai besoin de parler.

— Bien sûr. J'ai justement envie d'une pause.

Je me rends dans la chambre de Diane et me laisse tomber sur son lit. Diane tourne son fauteuil vers moi.

— C'est Louis qui te préoccupe, n'est-ce pas? dit-elle. (Ce n'est pas une question, mais une affirmation.)

Je hoche la tête.

— Est-ce que tu as repensé à ce que tu lui as dit?

— Je ne sais pas. Je ne peux pas m'empêcher de penser à lui, à nous.

— Tu as fait ce que tu croyais être le mieux, me dit Diane. Tu t'es tenue debout.

— Peut-être que…

— Anne-Marie! coupe Diane. Rappelle-toi comment tu te sentais dernièrement… que Louis ne t'écoutait pas, qu'il essayait de tout régler à ta place. Tu ne veux pas revivre ça, non?

— Non, mais Louis me manque.

— Maman s'est ennuyée de mon père au début, juste après le divorce. Mais elle savait qu'elle avait bien agi.

— J'espère, dis-je alors, que distancer nos rencontres ne fera pas trop mal.

CHAPITRE 8

Mardi

J'ai gardé Jeanne Prieur aujourd'hui.
Elle trouve bien difficile toute cette histoire
de nouveau bébé qui arrive à grand pas.
Il y a deux choses que vous devez savoir,
les filles : 1. Jeanne sait très bien que sa
mère la gâte davantage pour lui faire
accepter sa nouvelle situation. 2. Jeanne
ne veut pas devenir une grande sœur. Elle
désire rester toute seule entre son père et
sa mère. (Elle ne l'a pas dit dans ces mots,
mais c'est ce qu'elle voulait dire.) Je lui ai
parlé des rapports entre frères et sœurs,
mais je ne suis pas certaine de ce qu'elle
en a tiré.

Qui pourrait être une meilleure experte en frères et en sœurs que Marjorie? Elle en a plus que tous les autres membres du Club. (Même si Christine arrive juste derrière avec six.) Je suis donc bien heureuse que Marjorie ait la chance de garder Jeanne avant la naissance du bébé.

Madame Prieur quitte Jeanne et Marjorie vers seize heures pour une visite à l'hôpital. Tout comme la fois où je l'ai gardée, Jeanne emmène tout de suite Marjorie dans sa chambre pour lui montrer tout ce que sa mère lui a acheté.

Je me demande, en lisant ce que Marjorie a écrit, si ce sont de nouveaux objets ou les mêmes que lorsque j'y suis allée.

Non, c'est encore du neuf.

— Regarde. Maman m'a acheté un mini-ordinateur. Il faut que j'apprenne beaucoup de choses car je vais bientôt aller à l'école. Et j'ai un nouveau cahier aussi, et une poupée. Tu veux voir mes nouveaux vêtements de grande fille?

— Bien sûr, réplique Marjorie.

Jeanne ouvre la garde-robe.

— Voici une nouvelle robe et puis ça, fait-elle en pointant une tunique rose et un chemisier de coton blanc. Et ce chapeau (un chapeau de paille rose orné d'un ruban blanc) et ces chaussures (des chaussons de ballet roses) vont avec.

— Merveilleux, fait Marjorie. Et quand vas-tu me parler de ta nouvelle poupée?

Jeanne prend une mine renfrognée avant de répondre.

— La poupée est différente des autres choses que maman m'a achetées pour que je ne sois pas fâchée par le bébé. Mais viens voir.

Jeanne attrape la poupée et sort de sa chambre. Marjorie la suit dans la chambre d'à côté.

— Voici la chambre du bébé, l'informe Jeanne.

— C'est très joli, dit poliment Marjorie.

La chambre est d'un jaune très pâle et blanc. Un tapis blanc couvre le plancher. Des rideaux blanc et jaune pendent à la fenêtre. Une frise borde tout le haut du mur : des canards et des moutons à la queue leu leu. Les Prieur sont prêts à accueillir le bébé. Le petit lit, la table à langer équipée de couches, de poudre et de toutous, une petite lampe jaune sur le bureau : rien ne manque. Tout semble neuf, sauf le lit.

Comme si elle avait lu dans les pensées de Marjorie, Jeanne dit :

— C'était *mon* lit.

Marjorie ne trouve rien à répondre, mais Jeanne ne semble pas attendre de réponse. Elle se rend jusqu'au berceau et y dépose sa poupée.

— Maman m'apprend à changer la couche de ma poupée et à lui donner le biberon.

— Est-ce un garçon ou une fille ? demande Marjorie.

— Je ne le sais pas.

— Montre-moi ce que tu as appris, veux-tu ?

— D'accord.

Jeanne transporte la poupée sur la table à langer puis, tout en tenant le corps de la poupée d'une main, elle attrape une couche de papier. Et, comme si elle l'avait déjà fait un million de fois, elle lave la poupée avec une débarbouillette, saupoudre un peu de talc et attache solidement la couche.

— Fantastique! s'exclame Marjorie. Tu seras bientôt prête à devenir baby-sitter et même à joindre le Club.

Jeanne n'ébauche même pas un sourire.

— Je serai bien trop occupée avec *notre* bébé. Regarde comment on donne le biberon.

Jeanne s'assoit dans la berceuse, tient sa poupée confortablement et fait semblant de la nourrir.

— Ensuite, tu fais passer un rot au bébé, comme ça, dit-elle en mettant la poupée sur son épaule et en frottant doucement son dos.

— Tu es fantastique! commente Marjorie en souriant.

— Je te l'avais dit. Maman me fait répéter tous les jours.

— Oh!

Sur ces mots, Jeanne sort de la chambre de bébé et jette la poupée sur son lit avant de demander une collation à Marjorie.

— Que dirais-tu de biscottes au beurre d'arachide?

— Miam!

Marjorie sort des assiettes et des serviettes de papier, deux couteaux en plastique, le pot de beurre d'arachide, une boîte de biscottes et un pot de jus de pomme.

Elles mangent d'abord en silence, puis Marjorie demande:

— Comment trouves-tu cela de devenir une grande fille?

— Je suis déjà une grande fille.

— C'est vrai, dit Marjorie en souriant. Je veux dire devenir une grande sœur.

— Ouach! fait Jeanne sans regarder Marjorie.

— Comment ça, ouach?

— À cause de ce que je viens de te montrer. Le bébé a besoin qu'on l'aide tout le temps. Maman et papa vont passer leur temps à ses côtés… je ne sais pas.

— Mais, ajoute Marjorie pour encourager Jeanne, les bébés, ça dort beaucoup. Tu vas pouvoir passer tout le temps que le bébé dort avec tes parents.

— Peut-être…

— Tu sais, j'ai sept frères et sœurs.

— Je le sais. Je suis désolée pour toi.

— Non, c'est super! s'exclame Marjorie.

— Comment ça?

— Pour un tas de raisons. Il y a toujours quelqu'un avec qui jouer ou parler. De plus, j'aime bien m'occuper de mes petits frères et sœurs. Je me sens importante. Je peux leur apprendre toutes sortes de choses. Et… devine ce que ça signifie d'être l'aînée.

— Quoi?

— Ça veut dire que tu es la première à faire toutes sortes de choses. Je suis la seule dans la famille qui a les oreilles percées. Vanessa, Margot et Claire vont devoir attendre quelques années encore.

Jeanne paraît un peu plus intéressée.

— En plus, pense à tout ce que tu sais faire et que le bébé ne pourra pas faire. Tu peux jouer, conduire ton tricycle, regarder des livres d'images, glisser et te balancer dans la cour. Le bébé ne pourra rien faire de tout ça. Ta maman devra le transporter partout et même deviner ce qu'il veut car il est incapable de parler.

Silencieuse pendant un moment, Jeanne dit enfin :

— Marjorie ? Es-tu vraiment contente d'avoir des frères et des sœurs ?

— Oui. Quand ils étaient bébés, je pouvais m'en occuper. Maintenant qu'ils sont grands, ils deviennent mes amis. Je ne suis jamais seule.

— Quand le bébé sera né, toi et moi on sera pareilles, non ?

— Pareilles ?

— Oui, on sera toutes les deux l'aînée de notre famille et on est aussi des filles.

— Oui ! On pourrait peut-être fonder le Club des Grandes Sœurs.

Jeanne sourit sans avoir l'air heureuse pour autant. En fait, son sourire s'évanouit rapidement pour laisser place à un air absent.

— Jeanne ? À quoi penses-tu ?

— Oh ! au bébé ! soupire-t-elle. Je sais que ce sera amusant d'avoir un bébé, mais il y a beaucoup de choses qui ne seront plus pareilles.

— C'est vrai, approuve Marjorie.

— J'ai l'habitude d'avoir papa et maman pour moi toute seule. Maintenant, je ne serai plus aussi importante. Le bébé sera aussi important que moi.

— Oh ! Jeanne, fait Marjorie, compatissante, tu seras aussi importante qu'avant.

Jeanne ne semble pas convaincue et Marjorie pense deviner pourquoi. Elle ne se rappelle pas avoir été enfant unique. Elle n'avait qu'un an lorsque les triplets sont arrivés. Alors que Jeanne a été le centre de toute l'attention pendant *quatre ans* et elle va bientôt perdre cette position.

Ce serait difficile à accepter pour n'importe qui.

— Anne-Marie, tu as l'air...

Christine commence à dire quelque chose, mais s'arrête à temps. Pour une fois elle a été capable de fermer sa grande bouche.

J'ai une bonne idée de quoi j'ai l'air: affreuse. C'est lundi après-midi, juste avant la réunion du Club et mes amies m'ont vue tantôt à l'école. Je n'avais peut-être pas l'air en superforme à ce moment-là (surtout parce que je n'avais pas bien dormi la nuit précédente), mais là je suis carrément horrible. La raison, c'est que j'ai passé la fin de l'après-midi à pleurer. J'étais seule à la maison et, juste de penser à ce qui nous arrive à Louis et moi, ça me rend triste à mourir. J'ai le nez rouge, ma figure est marbrée et mes yeux sont gonflés et cernés de noir.

— Je sais, dis-je à Christine. Je ressemble à la petite sœur du diable.

— Tu n'as pas l'air aussi affreuse que ça, lance

Christine en riant, mais il y a sûrement quelque chose qui ne va pas, non?

Je hoche la tête.

— Veux-tu en parler?

— Pas encore. On va attendre que tout le monde soit rendu. Je n'ai pas envie de répéter cinq fois.

— D'accord, fait Christine en s'installant dans le fauteuil et en coiffant sa visière.

La voilà prête pour la réunion et je prends place sur le lit de Claudia. Nous attendons les autres.

Vers dix-sept heures trente tout le monde est là et Christine ouvre la réunion. Nous réglons quelques petites choses et attendons que le téléphone sonne. Comme il ne se manifeste pas, Christine me dévisage, les sourcils froncés. Les autres nous regardent tour à tour, Christine et moi. Je peux presque les entendre se demander ce qui ne va pas.

Je m'éclaircis la gorge.

— Vous avez sans doute remarqué que Louis ne s'assoit plus à notre table depuis quelque temps.

Mes amies acquiescent en silence, étonnées, sauf Diane qui est déjà au courant de toute l'histoire.

— Tu as été un peu différente aussi, ajoute Sophie.

— Je sais, dis-je. Ce qui est arrivé, c'est que j'ai dit à Louis qu'on se voyait trop souvent et que j'avais besoin de réfléchir. Sans savoir dans quoi je m'embarquais, il fallait que ça se fasse. Je sentais que Louis envahissait ma vie, qu'il la prenait en charge. Je l'ai mis au courant de mon projet de nous séparer quelque temps et nous ne nous sommes pas parlé depuis des jours.

— J'ai remarqué qu'il ne traînait plus près de ton casier, fait Christine.

— Il ne m'a pas appelé ni rien. Quand je lui ai dit que je voulais réfléchir et espacer nos rencontres, je ne parlais pas de rompre, mais je pense que Louis l'a mal pris.

— Je ne peux pas croire que vous allez rompre, lance Jessie. Il me semble qu'on vous voit ensemble depuis toujours.

— Et moi je pensais qu'ils seraient un couple pour la vie, ajoute Diane. Qu'ils se marieraient, qu'ils auraient des enfants...

Diane se tait quand elle entend Sophie qui tousse bizarrement. Je pleure, comme d'habitude.

— Oh! Anne-Marie! Je suis désolée, me dit Diane en m'entourant de ses bras.

— Ça va. Tout me fait pleurer ces jours-ci.

Le téléphone nous interrompt et nous arrangeons une garde chez les Seguin. Lorsqu'on a terminé, Sophie commence doucement:

— Une séparation n'est jamais facile. Tu te rappelles lorsque je croyais être amoureuse de ce sauveteur à Sea City? Comme j'ai été blessée lorsque je me suis aperçue qu'il avait une petite amie.

— Mais tu as eu Tobie juste après, lui dis-je.

— Et on a dû se séparer parce que les vacances finissaient.

— Et moi j'ai dû laisser Alexandre, le cousin de Tobie, tu te rappelles? C'était dur aussi.

— C'est alors que Louis est arrivé dans le portrait.

66

— Et maintenant voilà où nous en sommes…

Je n'arrive pas à finir ma phrase et c'est Claudia qui prend la parole.

— Et moi, je suis tombée amoureuse de William à la colonie de vacances et nous avons dû nous séparer à la fin du camp.

— Oh! là là! toutes ces séparations, fait Jessie, toutes ces blessures! Aïe!

Nous rions toutes, puis Claudia poursuit.

— Comment cela se fait-il que nous tombions toujours amoureuses lorsque nous sommes en voyage et que les relations ne peuvent jamais durer?

— Louis habite en ville, dis-je.

— Et peut-être que votre relation va se continuer, nous fait remarquer Marjorie.

— Je l'espère.

Je fais le tour de la chambre du regard et n'aperçois que des visages sombres. Je suis heureuse d'entendre le téléphone. Nous avions besoin de quelque chose pour alléger l'atmosphère. Et cet appel a vraiment l'effet désiré puisqu'il vient de Karen, la petite demi-sœur de Christine.

— Une minute, fait Diane qui passe le combiné à Christine. C'est Karen.

— Allô, Karen. Qu'est-ce qu'il y a?… Tu veux engager une gardienne?

Nous nous regardons, d'abord intriguées, puis nous sourions en entendant Christine expliquer:

— Nous ne gardons pas habituellement les animaux en peluche. Est-ce qu'ils ne sont jamais restés seuls avant ? Pourquoi ne les présentes-tu pas aux autres animaux d'André ?

La conversation dure encore quelques minutes, et Christine raccroche en éclatant de rire.

— Pouvez-vous croire ça ? demande-t-elle. Karen prétend maintenant que ses deux chats en peluche se sentent abandonnés lorsqu'ils sont seuls à la maison. Elle voulait nous engager et était prête à nous payer cinq cents l'heure.

Nous pouffons à notre tour.

— Je lui ai suggéré de les présenter à d'autres animaux en peluche, continue Christine.

— C'était gentil, fait Jessie en souriant.

— Merci, dit Christine. J'essaie d'être compréhensive à l'égard de Karen et d'André. Ils sont passés par des séparations comme nous et ils sont beaucoup plus jeunes.

Un autre appel survient et une autre garde s'organise. Une fois que nous avons terminé, je dis :

— Vous savez quoi ? J'ignore si elle s'en rend compte, mais Jeanne appréhende un genre de séparation d'avec ses parents à l'arrivée du bébé. Elle est persuadée qu'elle ne sera plus le centre d'attraction.

— Pauvre Jeanne, fait Christine. (D'ordinaire, Christine n'éprouve pas une affection particulière pour Jeanne.)

— Hé ! les filles ! dis-je. Je viens de penser à quelque chose en parlant de toutes ces séparations. Vous connaissez la différence entre Louis et moi ? J'ai *choisi* de le quitter. D'une certaine façon je garde le contrôle de la situation. Je peux…

Le téléphone sonne de nouveau et cette fois c'est moi qui réponds. Devinez qui c'est.

— *Louis ?*

— Salut, dit-il. Je dois discuter affaire avec toi. J'ai besoin d'une gardienne pour Hugo et Katia (le frère et la sœur de Louis) le jour de la Saint-Valentin. C'est un vendredi soir. Papa et maman sortent et moi aussi. Hugo et Katia demandent que ce soit toi qui viennes. Je sais que ce n'est pas la politique du Club, mais tu leur manques.

— Je vais te rappeler, lui dis-je abruptement avant de raccrocher.

L'air hébété, je regarde mes amies et leur raconte ce que vient de me dire Louis.

— Vas-y, prends le travail, me disent-elles toutes.

Mais moi, je me demande surtout avec qui Louis va sortir le soir de la Saint-Valentin. A-t-il déjà trouvé une autre petite amie ? Est-ce que ça me tente vraiment d'aller chez lui et de le voir partir avec cette autre fille ?

Par ailleurs, Louis m'a bien dit que Hugo et Katia s'ennuyaient de moi. Je ne voudrais pas les désappointer. De plus, en bonne femme d'affaires, je ne dois pas laisser les émotions intervenir dans mon travail.

Je rappelle donc Louis et lui dis que je vais aller garder ce soir-là.

— Parfait, répond-il. Merci, Anne-Marie.

— Ça me fait plaisir.

— À bientôt.

— À bientôt...

J'essaie de m'imaginer la petite amie de Louis. Elle

est probablement tout le contraire de moi : grande, blonde, pleine d'assurance. C'est peut-être ce qui a mal fonctionné dans notre relation. J'étais tellement timide que Louis s'est senti obligé de me prendre en charge.

Eh bien, me voilà qui me mets à penser à la soirée de la Saint-Valentin de la même façon que je penserais à une visite chez le dentiste.

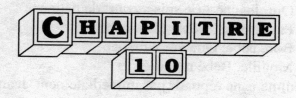

CHAPITRE 10

— Ga-ga. Ma-ma. Bo-bo.

Je ferme les yeux un instant. Jeanne me rend malade. Je la garde depuis l'heure du souper et elle fait semblant d'être un bébé.

Je regarde ma montre. Il n'est que dix-huit heures quarante-cinq. Je soupire. Non seulement Jeanne me rend-elle folle, mais je me rends folle moi-même. Je ne peux cesser de penser à Louis... à sa nouvelle copine. Je ne les ai jamais rencontrés ensemble, mais je peux au moins les imaginer.

Mon imagination est débordante. Maintenant, cette fille est non seulement grande, blonde, très sûre d'elle, mais elle est aussi très intelligente, elle possède un nom romantique comme Olivia et est promise au plus brillant avenir comme chanteuse. Je vois même Louis fréquenter les studios d'enregistrement avec elle. Il y serait peut-être «découvert» à son tour (il est tellement beau), et lui et Olivia feraient carrière à Hollywood.

— Ma-man, fait encore Jeanne en me touchant le genou.

Elle se traîne à quatre pattes dans le salon et vient s'asseoir à mes pieds en suçant son pouce.

— Oui, Jeanne? (je suis à court de patience).

— Pas Jeanne! Bébé. Moi, bébé.

— Bon, bébé. Que veux-tu, bébé?

— Mouillé. Bébé mouillé.

Comme je ne réponds pas immédiatement, Jeanne se met à tirer mon jean et à crier.

— MOUILLÉ! COUCHE!

— D'accord.

Je fais semblant d'attraper une couche et de la lui attacher.

— NON! Vraie couche.

— Jeanne, je ne vais sûrement pas te mettre une couche, dis-je. C'est stupide.

Jeanne se remet à marcher à quatre pattes et sort du salon. Je l'entends qui monte l'escalier. Elle revient un peu plus tard, une couche suspendue au coin des lèvres.

— Mets couche à bébé, fait-elle.

— Tu n'as pas besoin de couche, répliqué-je. Tu es une grande fille et tu peux aller aux toilettes.

— NON! Pas une grande fille. Moi, bébé.

— Je sais, tu me l'as déjà dit.

— METS COUCHE!

— Jeanne, dis-je avec le plus de patience possible, je ne vais pas te mettre une couche.

— Bon, bon, fait Jeanne d'une petite voix de quatre ans.

— Merci, dis-je, sans me rendre compte que je devrais prêter un peu plus d'attention au changement dans sa voix. Maintenant, rapporte la couche dans la chambre du bébé, d'accord?

— Oui, oui.

Elle se lève et sort du salon. Je retourne à Louis et à Olivia. Ils habitent un luxueux manoir de Beverly Hills où ils ont piscine et court de tennis. Une ou deux fois par mois, Olivia organise une grande fête pour leurs amis et Louis lui dit souvent:

— Quelle magnifique hôtesse tu es, chérie. Anne-Marie n'aurait jamais si bien fait.

J'en suis à ce chapitre lorsque j'entends un bruit dans l'escalier. Je pense soudain que Jeanne devrait être redescendue depuis longtemps. Qu'est-ce qui me prend? Je n'agis certainement pas en gardienne responsable. Je cours au deuxième.

— Jeanne?

Pas de réponse.

Je regarde dans sa chambre. Vide...

Je cours dans la chambre du bébé. Je n'arrive pas à croire à ce que je vois.

Tout est dans un désordre indescriptible. Tout ce qui était sur la table à langer est sur le plancher, pêle-mêle. Le lit est vide. Les animaux en peluche et les draps gisent ici et là. Les tiroirs du bureau sont ouverts et les vêtements sont éparpillés aux quatre coins de la chambre. Jeanne est en train de grimper sur le bureau dans l'intention, j'imagine, d'attraper la lampe.

— Ne bouge pas! crié-je.

Jeanne tombe sur le plancher, mais ne pleure pas. Les piles de couches et de toutous ont amorti sa chute.

— Qu'est-ce que tu fais pour l'amour du ciel?

— Je déteste le bébé, me répond-elle.

— Eh bien, je suis désolée, ma petite, mais le bébé va arriver, que tu le veuilles ou pas. Et que tu mettes sa chambre à l'envers ou pas. Il y a des choses dans la vie (oh non! je parle comme mon père!) que tu ne peux pas changer. Le bébé est une de ces choses. Et maintenant, tu ranges cette chambre au plus vite!

Jeanne me regarde, les yeux comme des soucoupes. (Je pense qu'elle ne m'a jamais entendue parler de ce ton-là.) Puis, lentement, elle se met à replacer les objets dans le lit, sur la table à langer et dans les tiroirs.

Je l'aide, surtout avec les vêtements. Tout en rangeant (en silence), il me vient une idée.

Lorsque la chambre ressemble un peu plus à ce qu'elle était, je me tourne vers Jeanne et lui demande:

— Que dirais-tu d'une bouteille, bébé?

Le visage de Jeanne se transforme, passant de la surprise à la joie.

— Moi bébé?

— Oui, toi bébé. Allons en bas. Je vais te donner un biberon avant d'aller au lit.

— Da-ga-ga-ga! s'exclame Jeanne.

Elle sort à quatre pattes de la chambre du bébé et me suis jusqu'à l'escalier. Je me penche alors et la prends dans mes bras.

— Hé! crie-t-elle. Qu'est-ce que tu fais?

— Je t'emmène en bas.

— Je peux descendre toute seule.

— Pas si tu es un bébé. Tu pourrais tomber.

— Oh !

Je la transporte dans mes bras jusque dans la cuisine où je l'installe dans la chaise haute que les Prieur ont montée du sous-sol en prévision de leur nouvel enfant.

— Hé ! Je suis trop grande pour aller là-dedans.

— C'est là que les bébés mangent. Et tu es un bébé, tu te rappelles ?

— Oui... fait lentement Jeanne.

— Parfait. Maintenant, je vais te préparer quelque chose à boire.

Je sors un carton de lait du réfrigérateur et m'apprête à en verser dans une petite casserole.

— C'est quoi ça ? demande Jeanne.

— Du lait.

— Je ne veux pas boire de lait, je veux du jus.

— Mais les bébés boivent du lait, lui dis-je. Et ils le boivent chaud.

Jeanne blanchit lorsqu'elle entend parler de lait chaud, puis elle dit :

— Je ne veux pas boire. Je veux dire... Da-da-da. Pas de lait pour bébé.

Je m'arrête juste au moment de verser le lait dans la casserole.

— Es-tu certaine ? lui dis-je. Parce que c'est déjà l'heure de te coucher.

— Non, je me couche plus tard que ça.

— Oui, mais pas les bébés. Ils ont besoin de beaucoup de sommeil. Ils vont au lit tout de suite après leur boire et se réveillent parfois la nuit pour un autre bibe-ron.

Jeanne semble estomaquée. Je crois que son «jeu» ne se déroule pas comme elle l'avait prévu. Elle tente une autre tactique.

— Bébé faim.

— Bon.

Je trouve une boîte de céréales non sucrées et lui en dépose une petite poignée sur la tablette de sa chaise. Les yeux de Jeanne vont des céréales à moi.

— Je veux des biscuits, dit-elle.

— Pas pour les bébés, dis-je à mon tour. (Combien de fois ai-je répété la même chose en dix minutes?)

— Pas pour les bébés?

— Non, les bébés ne peuvent pas manger de biscuits.

— Ga-ga, fait-elle après avoir réfléchi. Pas de colla-tion.

Elle tente de descendre de la chaise haute, mais je la soulève... et l'emporte vers l'escalier.

— Où on va? demande-t-elle.

— C'est l'heure du dodo.

— Tu veux dire que je vais vraiment aller dans mon lit?

— Oui, dans le lit du bébé.

— Mais je suis bien trop grande pour ce lit.

Elle s'arrête un moment, puis elle ajoute:

— Anne-Marie? Je ne veux plus jouer. Je ne veux plus être un bébé.

— Es-tu certaine? demandé-je. Tu n'as pas essayé

toutes les bonnes choses comme le lait chaud, un joli berceau...

— J'en suis sûre, lance Jeanne en gigotant pour se dégager de mes bras. Je veux regarder la télé. Et avant d'aller au lit, *dans mon lit*, j'aimerais un jus et des biscuits.

— Ça va. Je suis contente d'avoir retrouvé Jeanne. Tu es bien plus intéressante qu'un bébé.

Jeanne sourit.

— Je me sens bien désolée pour les bébés, m'informe-t-elle.

Samedi matin à onze heures quarante-cinq, le téléphone sonne. Même si je suis assise près de l'appareil
depuis quinze minutes, *attendant* la sonnerie, je sur-
saute.

— Allô, dis-je en essayant de rester calme.

— C'est maintenant, fait une voix d'homme.

— Vous voulez dire qu'elle vient de partir ? Fantastique ! J'appelle tout de suite Claudia et Sophie. Nous
serons là dès que possible.

J'appuie sur le bouton, puis je le relâche et j'appelle
Claudia. Lorsqu'elle répond, je lance vite :

— C'est le temps ! Va-t'en tout de suite chez les
Prieur !

— D'accord ! crie Claudia. Sophie est avec moi.
Nous partons.

— Parfait ! On se voit dans quelques minutes.

C'est le jour de la fête-surprise pour madame Prieur.
Comme c'est aussi son anniversaire dans trois jours,

une de ses amies l'a invitée à dîner au restaurant. Le repas est en fait une ruse. L'amie de madame Prieur fait partie du complot pour faire sortir cette dernière de la maison et nous permettre à Claudia, Sophie, monsieur Prieur et moi de préparer la fête pour son retour.

Monsieur Prieur a pensé à tout. Il a demandé à l'amie de sa femme de ne pas la ramener avant treize heures trente et il a invité tout le monde pour treize heures. Il a même pensé demander aux invités de stationner leurs autos plus loin afin de ne pas mettre la puce à l'oreille de sa femme. Tout ce qui est nécessaire pour la fête a été caché dans le grenier.

J'arrive avant Sophie et Claudia. C'est Jeanne qui répond à la porte, encore en pyjama.

— Entre vite! lance monsieur Prieur, avec un large sourire. Je pense que tout est en ordre, continue-t-il pendant que j'accroche mon manteau dans la penderie. Le gâteau va bientôt arriver, j'ai sorti les décorations du grenier et le traiteur est en chemin avec la nourriture.

— Fantastique! dis-je. Es-tu excitée? demandé-je en me tournant vers Jeanne. Il va y avoir une belle fête.

— Et Anne-Marie va t'aider à t'habiller, ajoute monsieur Prieur.

— Je ne veux pas m'habiller, répond platement Jeanne.

— Eh bien, j'ai l'impression que tu vas devoir le faire quand même, lui dit son père d'un ton où perce l'impatience.

La sonnette de l'entrée résonne au même moment, empêchant Jeanne de répliquer. J'ouvre la porte, pensant que ce sont mes deux amies, mais c'est le livreur de la pâtisserie portant une grosse boîte enrubannée.

— C'est le gâteau, monsieur Prieur.

— Parfait, dit ce dernier en s'avançant. C'est bien le gâteau cigogne avec le mot «Félicitations»?

— Non, fait l'homme en secouant la tête, c'est un gâteau rose tout fleuri avec «Bon anniversaire, Ginette» dessus.

Sa méprise le laisse froid, mais je sens la moutarde monter au nez de monsieur Prieur.

— Ce n'est pas notre gâteau, dit le père de Jeanne. Le nôtre est pour une fête de naissance.

— Oh! fait l'homme.

— Voulez-vous vérifier dans votre camionnette, s'il vous plaît?

— D'accord, marmonne-t-il en sortant.

Le téléphone sonne alors et j'entends monsieur Prieur qui parle avec colère.

— C'était le service de traiteur, me dit-il après avoir raccroché. Ils vont être en retard. Je savais que tout allait trop bien ce matin…

C'est le moment que Claudia et Sophie choisissent pour arriver, le moment où Jeanne se plaint, que l'homme cherche le gâteau dans son camion et que monsieur Prieur est au bord de la crise de nerfs à cause du traiteur.

Mais tout s'arrange peu à peu. Le livreur revient avec le bon gâteau. Sophie et Claudia se chargent de la décoration et mettent la table, pendant que j'emmène Jeanne dans sa chambre.

— Regarde, ton papa a sorti des vêtements sur ton lit.

— Ce sont mes vêtements de grande fille, réplique Jeanne. (C'est l'ensemble rose qu'elle a déjà montré à Marjorie.)

— C'est très joli. Enlève ton pyjama.

— Non.

— Oui. Enlève ton pyjama et saute dans tes vêtements.

Jeanne ne dit rien, mais me fait une grimace. Comme elle refuse de bouger, je dois enlever ses vêtements de nuit et l'habiller.

— À quoi ça sert de m'habiller? La fête est pour le bébé, pas pour moi. Les gens vont apporter des cadeaux pour cette espèce de bébé.

— Cette espèce de bébé sera ton frère ou ta sœur, tu te rappelles?

— Oui… Aïe! gémit-elle.

Je brosse ses cheveux et je crois avoir tiré un seul poil.

— Veux-tu porter tes bijoux?

— Non.

Et voilà. Bijoux ou non, monsieur Prieur trouve sa fille parfaite, même si elle descend l'escalier comme une tortue en répétant à chaque marche qu'elle veut rester dans sa chambre.

— Hé, Jeanne! Regarde ce qu'ont fait Sophie et Claudia.

Elles ont transformé le salon. Je pense que Jeanne est impressionnée, mais ne veut surtout pas le laisser voir.

— C'est magnifique, les filles! dis-je, enthousiaste.

La pièce ressemble à un nuage arc-en-ciel. Des banderoles jaunes, bleues et roses traversent le plafond. Des grappes de ballons sont pendues ici et là. Au milieu de la table, des bouquets de fleurs entourent une grande cigogne qui porte une poupée dans son bec.

— Qu'est-ce qu'il fait l'oiseau? demande Jeanne.

J'essaie de lui expliquer.

— Tu veux dire que les cigognes apportent les bébés?

— Eh bien, non… commence Sophie.

Mais Jeanne ne l'écoute pas.

— Si c'est vrai, continue-t-elle, je vais écrire une grande affiche et la mettre sur le toit: NE LAISSEZ PAS DE BÉBÉ ICI. JAMAIS.

Sophie, Claudia et moi ne savons trop quoi répondre. C'est finalement Claudia qui prend la parole.

— Je ne crois pas que ça marcherait. Tu sais comme le ventre de ta maman est gros? C'est parce que le bébé est…

— Je pense que Jeanne devrait discuter de cela avec ses parents, dis-je brusquement. Eh, regarde comment Claudia a décoré ce berceau. C'est là que les gens vont mettre tous leurs cadeaux, dis-je en montrant le papier crêpé et les rubans qui ornent le berceau.

— Quoi? Les cadeaux vont aller là-dedans? C'était mon berceau quand j'étais bébé.

— J'abandonne, chuchoté-je à Sophie et Claudia.

Heureusement, les choses commencent à bouger. Les premiers invités arrivent en même temps que le traiteur. Monsieur Prieur cause un peu avec eux pendant que mes amies et moi arrangeons les aliments sur la table. Puis, monsieur Prieur annonce:

— Tout le monde par ici. Notre invitée d'honneur devrait être de retour dans cinq minutes.

Les invités se cachent dans la cuisine et la salle à manger. Je tire Jeanne derrière un fauteuil et lui fait signe de ne pas parler.

— Pourquoi qu'on se cache et qu'on n'a pas le droit de parler? me demande-t-elle.

— Parce que ta maman va revenir d'une seconde à l'autre et tout le monde va lui crier «Surprise!».

Jeanne paraît enfin intéressée. Et lorsque sa mère passe la porte, elle est la première à sauter.

Madame Prieur est vraiment surprise. Pendant une seconde, sa bouche s'arrondit, puis elle cache son visage dans ses mains en riant, pleurant et rougissant tout à la fois. L'émotion passée, son mari la fait asseoir dans un fauteuil et la fête commence.

Madame Prieur prend un cadeau dans le berceau et lit la carte qui l'accompagne:

— De Madeleine. Merci!

La femme qui se nomme Madeleine ouvre son sac à main et en tire un plus petit paquet.

— Pour la grande sœur! s'exclame-t-elle en tendant le présent à Jeanne.

— Pour *moi*? lance Jeanne.

Elle ouvre le petit paquet pendant que sa mère s'occupe du plus gros. Ce dernier contient un bel ours en peluche. Jeanne trouve deux petites barrettes en plastique dans le sien. Elle n'arrive pas à cacher sa déception. Elle garde le même air frustré lorsque les invités lui offrent un petit présent à tour de rôle.

— Tu pourrais au moins dire merci, lui chuchoté-je.

Jeanne ne me répond pas. Je me dis donc que lui enseigner les bonnes manières ne relève pas de mes fonctions de gardienne. Je m'assois et je m'amuse à observer la scène.

Finalement, les invités commencent à partir. Lorsque tout le monde a quitté la maison, mes amies et moi nous nous occupons de ramasser le papier crêpé, les assiettes et les tasses de carton, les bouts de ruban, les restes de nourriture et une montagne de papier d'emballage.

— Alors, Jeanne, dis-je, que penses-tu de la fête?

— Ouach, fait-elle en regardant sa petite pile de cadeaux.

— Mais tout le monde t'a apporté quelque chose, fait remarquer Claudia.

— Le bébé a eu les plus gros cadeaux.

Je jette un œil vers madame Prieur, mais elle est plongée dans un livre sur les bébés qu'on vient de lui offrir.

— Jeanne, dis-je, sais-tu que…

Jeanne me coupe brusquement:

— Sais-tu quoi? JE DÉTESTE CE BÉBÉ!

CHAPITRE 12

Le vendredi suivant est la Saint-Valentin. Au déjeuner, papa, Hélène, Diane et moi échangeons des cartes amusantes. Nous rions bien fort, mais je dois me forcer pour ne pas penser tout le temps à Louis. Voilà la journée la plus romantique de l'année et nous ne nous parlerons probablement pas. Il y a quelques jours, j'ai trouvé dans une librairie la carte parfaite pour offrir à Louis. Elle était très grande et coûtait très cher. Je ne l'ai pas achetée. Pas parce qu'elle était trop coûteuse, mais parce qu'il n'y avait aucune raison d'en acheter une. J'ai pleuré un peu, en plein magasin, mais aujourd'hui, je me sens mieux. C'est difficile d'être triste avec les cartes que nous échangeons et le colorant rouge qu'Hélène a ajouté au beurre du déjeuner.

Avant la réunion du CBS, nous faisons une petite fête, mes amies et moi.

— Des petits cœurs à la cannelle ! annonce Claudia. Et aussi des cerises au chocolat !

C'est la fête sucrée (même si Claudia a pensé acheter des bretzels pour Sophie et Diane, nos anti-sucre).

Nous mangeons et rions tout en parlant de l'école et de nos amis. Sophie a décidé de vernir les ongles de tout le monde en rouge lorsque Christine nous ramène à l'ordre.

— C'est le temps de commencer la réunion.

Je regarde le réveil de Claudia : dix-sept heures trente pile. Christine mène la réunion rondement. À dix-huit heures, lorsque nous nous préparons à partir, je dis à Diane :

— Rappelle à papa et à maman que je ne serai pas de retour avant vingt-deux heures, d'accord ?

— Ah ! oui, reprend Diane. Tu vas garder Katia et Hugo. Comment te sens-tu ? me demande-t-elle après une courte pause.

— Je ne sais pas, dis-je honnêtement. J'aime bien Hugo et Katia et je suis flattée qu'ils aient demandé que ce soit moi qui les garde, mais je ne sais pas comment je vais me sentir de voir Louis et Olivia quitter la maison ensemble...

— Qui est Olivia ? demandent soudain toutes les filles.

Je viens de m'apercevoir qu'elles écoutaient ma conversation avec Diane et que l'inexistante Olivia est devenue une réalité pour moi. Est-ce que ça veut dire que je suis en train de craquer ?

Mes amies attendent une réponse et je ne réussis qu'à marmonner des paroles incompréhensibles avant de quitter la chambre de Claudia à toute vitesse.

— Qu'est-ce qu'elle a dit ? Sa cousine ? demande Sophie derrière mon dos.

— Je pense qu'elle a dit: personne, réplique Marjorie.

Je marche très vite jusque chez Louis. Il fait froid et j'enfonce mes mains dans mes poches. Je suis contente d'avoir mis mon jean et un vieux chandail de laine sous mon parka. Je ne suis pas très élégante, mais je me sens bien.

J'arrive chez les Brunet quelques minutes plus tard. (Je pourrais y aller les yeux fermés.) Je monte les marches, mets mon doigt sur la sonnette... je paralyse là. Mon doigt ne bouge plus. J'ai peur de ce que je vais trouver de l'autre côté de la porte. Louis et son amie qui s'apprêtent à partir? Madame Brunet les photographiant?

Bon. Je dois agir en adulte. Mon doigt presse la sonnette.

Je n'entends rien, pas un pas. Silence. La maison a même l'air sombre. Est-ce que je me suis trompée de date? Non, Louis a vraiment parlé de la Saint-Valentin. La mauvaise maison? Impossible.

Juste comme toutes les questions se bousculent dans ma tête et que la crainte me prend, la porte s'ouvre lentement. Silhouette qui se détache dans la pâle lumière venant de la cuisine, Louis se dresse devant moi. Il porte un smoking et tient un bouquet de corsage à la main.

C'est trop. Un bouquet de corsage pour Olivia? Je suis sur le point de penser qu'il va me dire: «Oh! c'est juste toi», et regarder derrière mon épaule si personne d'autre n'arrive.

Mais non, Louis me sourit timidement.

— Bonjour, Anne-Marie, dit-il. Joyeuse Saint-Valentin !

— Bonjour, Louis.

— Entre.

Louis tient la porte grande ouverte et je me faufile dans l'entrée devant lui.

— Où sont Hugo et Katia ? demandé-je en enlevant mon manteau. La maison n'a jamais été aussi tranquille.

— Oh ! ils sont ici, me répond Louis. Ils sont dans le salon avec papa et maman. Je leur ai fait promettre de rester là toute la soirée.

— Je pensais que tes parents sortaient, ce soir. C'est pourquoi je...

Louis m'interrompt en mettant son doigt sur mes lèvres.

— Chut, fait-il en me prenant par la main. Viens voir.

Il me conduit dans la salle à manger où la table est dressée pour deux. Des bougies sont allumées. La plus belle porcelaine des Brunet brille sur une nappe immaculée.

Torture.

Louis veut-il me montrer comment lui et Olivia vont passer la soirée de la Saint-Valentin ? Il est abject.

J'allais dire quelque chose, mais Louis me devance :

— Surprise, dit-il tout doucement en glissant le bouquet à mon poignet.

— Hein ? fais-je, stupidement.

— C'est *notre* soirée, Anne-Marie. Tu n'es pas ici pour garder. C'était... un prétexte, le seul moyen de t'offrir ce présent, cette soirée. Personne ne va nous déranger, ils sont dans le salon à regarder un film.

Je reste bouche bée.

— Je croyais qu'on devait s'éloigner un peu…

— On l'a fait, mais je suis prêt à recommencer comme avant. Assieds-toi. Ma famille m'a aidé à faire ce repas spécial pour toi.

Je ne sais plus du tout où j'en suis. Je m'assois donc. Si Louis m'avait dit (aussi gentiment et doucement qu'il vient de le faire) de me faire percer quatre trous à chaque oreille, de porter un anneau dans le nez et d'aller garder les moutons dans la montagne, je crois que je l'aurais fait.

— As-tu faim? demande Louis.

— Oui, dis-je.

— Parfait. Mangeons alors. Mais j'ai d'abord quelque chose pour toi. Ne bouge pas.

Louis disparaît dans la cuisine et revient peu après, les bras chargés. Il dépose un petit paquet enrubanné près de mon assiette, puis une grosse boîte en forme de cœur, puis il me tend une rose rouge.

— Pour toi, dit-il.

— Mais tu m'as déjà donné une fleur, répliqué-je en montrant l'orchidée à mon poignet.

— Les fleurs rouges sont de mise à la Saint-Valentin.

Comme je ne sais pas trop quoi faire avec la rose, je la dépose sur la nappe. Louis pousse le présent et la boîte en cœur plus près de moi. (Il ne s'est pas encore assis.)

— Allez, ouvre.

— Seulement si tu t'assois, dis-je en souriant nerveusement.

Je n'arrive pas à croire ce qui se passe. Tout est arrivé si vite. J'étais supposée garder, mais voilà que je me retrouve dans une pièce éclairée aux chandelles, que Louis me présente cadeau après cadeau et que je me sens coupable de ne pas lui avoir même acheté cette carte que j'avais vue.

Louis s'assoit. Je regarde les boîtes en demandant :

— Laquelle dois-je ouvrir en premier ?

— Mmmm... celle-là, fait Louis en pointant la boîte en cœur.

Pour être honnête, je dois avouer que la boîte est un peu de mauvais goût. Une grosse fleur en plastique rose la décore et elle est couverte d'une espèce de tulle rouge.

Je fais glisser le tulle. La boîte contient deux kilos de bonbons au chocolat.

— Miam, merci, Louis.

— Ça me fait plaisir. Gardons-les pour le dessert. Ouvre maintenant l'autre boîte.

Je déballe le petit paquet et j'y trouve... un mignon bracelet fait de petits cœurs en or attachés les uns aux autres.

Je cesse de respirer. Louis se penche et m'embrasse sur la joue.

À ce moment-là, je me sens vraiment incapable de faire quoi que ce soit, mais il y a aussi un sentiment nouveau : je commence à redouter quelque chose.

Ce n'est pas du tout comme ça que les choses

devaient se passer avec Louis. Et je ne sais plus comment m'en sortir.

— C'est très beau, Louis.

— Je savais que tu l'aimerais, me répond-il en l'attachant autour de mon poignet.

C'est vrai que le bracelet est magnifique, mais il faut que je dise autre chose.

— Louis, je n'ai rien pour toi. J'ai vu une jolie carte, mais…

— Ça va, dit-il. Manger avec toi n'a pas de prix.

Je voudrais pleurer.

Louis retourne dans la cuisine et revient avec deux assiettes de lasagne accompagnée de brocoli en sauce et d'une salade.

— Oh! là là! ne puis-je m'empêcher de m'exclamer.

— Rappelle-toi que ma famille m'a aidé.

— Et maintenant tu les forces à passer la soirée dans le salon?

— Sous peine de mort, reprend Louis.

Nous commençons à manger. D'abord sans un mot, puis, quand le silence me devient insupportable, je dis:

— Louis, je me sens vraiment mal de ne t'avoir rien apporté. Tu m'as donné un bracelet, une boîte de bonbons, des fleurs et ce souper aux chandelles…

— Ne t'inquiète pas. Je voulais que ce soit une surprise. Comment aurais-tu pu deviner?

Je hoche lentement la tête.

Nous mangeons le repas et arrivons finalement au dessert (gâteau au chocolat et bonbons). Dès que le dessert est terminé, je regarde ma montre.

— Louis, il faut que je m'en aille.

— Parfait! Je vais demander à maman ou à papa de te reconduire en auto.

— Attends! Avant de partir, il faut que je te dise quelque chose. (Mon cœur bat à tout rompre, mais je suis bien décidée.) Louis… Louis, lorsque j'ai dit que je voulais qu'on se sépare quelque temps, j'étais sérieuse.

— Je le sais. C'est ce qu'on a fait. Mais comme je te l'ai dit, je suis prêt à recommencer.

Je ne le suis pas, pensé-je. Louis n'a rien compris.

À mon poignet, le bracelet me semble aussi lourd qu'une chaîne de plomb.

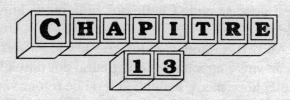

CHAPITRE 13

Samedi

Grande nouvelle ! Quelle
journée excitante ! Monsieur
Prieur a appelé cet avant-
midi. Il semblait très
nerveux. Et avec raison. Lui
et sa femme se préparaient
à partir pour l'hôpital !
Comme c'était une garde
d'urgence, il a tenté d'appeler chacune des gardiennes
du CBS pour essayer d'en
trouver une de libre pour
Jeanne. Je suis la première
qu'il a pu rejoindre.
Ça tombait bien, car j'adore
les bébés !

Comme vous pouvez le constater, Jessie est très excitée par cette garde inattendue. Non pas que Jeanne soit une de ses préférées, mais elle adore les nouveau-nés.

C'est donc sa tante Cécile qui va la reconduire chez les Prieur.

— Au revoir, tante Cécile ! crie Jessie en sortant de l'auto. Je vais t'appeler dès que j'aurai des nouvelles. Si je ne téléphone pas, c'est que je serai de retour vers dix-huit heures. Monsieur Prieur a dit qu'il reviendrait à ce moment-là ou, s'il devait rester à l'hôpital, madame Lefrançois, une voisine, viendrait passer la nuit avec Jeanne.

— C'est bien, dit tante Cécile en souriant. J'ai hâte d'avoir des nouvelles.

L'auto s'éloigne et Jessie gravit en vitesse les marches du perron. Elle n'a même pas le temps de sonner que monsieur Prieur lui ouvre. Sa femme est assise sur un banc près de la porte, sa valise à ses côtés. Tous les deux ont l'air très fatigués. J'imagine qu'on ne dort pas lorsqu'on attend un bébé.

— Où est Jeanne ? demande Jessie après les salutations d'usage.

— Elle dort encore, fait madame Prieur en souriant. Elle pourrait dormir jusqu'à midi tous les jours si on ne la réveillait pas avant. Mais on a pensé qu'aujourd'hui il n'y aurait pas de mal.

— Alors, Jeanne ne sait pas que vous partez pour l'hôpital ? demande Jessie, fort étonnée de la chose.

— Non, reprend monsieur Prieur, mais dis-lui que je

vais essayer de l'appeler de temps à autre durant la journée. Avec un peu de chance, l'un de ces appels sera pour annoncer que le bébé est arrivé. Nous ne voulons surtout pas que Jeanne se sente abandonnée.

— Chéri? fait doucement madame Prieur en grimaçant. Je pense qu'il faudrait y aller.

— Oh, oui! s'exclame son mari, de plus en plus nerveux. Jessie, tu sais où sont les numéros de téléphone d'urgence et où me trouver. Si tu as des problèmes, madame Lefrançois sera chez elle toute la journée.

— Chéri? murmure de nouveau madame Prieur.

Vivement, monsieur Prieur aide sa femme à se mettre debout, s'empare de la valise et sort avec elle. Madame Prieur s'appuie lourdement contre son mari. Jessie a l'impression d'avoir vécu une telle scène il n'y a pas si longtemps. Elle se rappelle leur ancienne maison à Oakley, au New Jersey, alors qu'elle et Becca se tenaient sur le palier et que son père escortait sa mère à l'auto. Plus tard, cette nuit-là, le petit Jaja venait au monde.

Oh! là là! pense Jessie. C'est il y a déjà un an et demi et on dirait que c'est hier. Et maintenant, Jaja marche, grimpe...

Jessie secoue la tête en regardant l'auto des Prieur tourner le coin de la rue. Elle referme alors la porte et monte jusqu'à la chambre de Jeanne. Elle jette un œil par la porte entrouverte: Jeanne dort toujours, un bras pendant en dehors du lit. Jessie sourit et redescend. Je vais lui préparer un bon déjeuner, se dit-elle.

Jessie a dressé la table, versé le jus et est en train de

mettre des céréales dans un bol quand Jeanne surgit dans la cuisine.

— Bonjour, ma petite paresseuse, la taquine Jessie. Te rappelles-tu qui je suis? (Elle n'a pas eu l'occasion de garder Jeanne très souvent.)

— Jessie? dit Jeanne en l'interrogeant du regard.

— C'est ça! Tu as une bonne mémoire.

— Tu es une gardienne, réplique Jeanne, d'un ton qui ressemble à un reproche.

— Tu as encore raison, fait Jessie.

— Alors, où sont papa et maman?

— Assieds-toi et commence à déjeuner, suggère Jessie. Je vais tout te raconter pendant que tu manges.

— D'accord.

Jessie lui tend un bol de céréales et un morceau de rôtie, puis elle s'assoit en face d'elle.

— Quelque chose de merveilleux est arrivé pendant que tu dormais, commence-t-elle, en choisissant ses mots avec soin.

— Quoi? demande Jeanne, méfiante.

— Ta maman a jugé qu'il était temps que le bébé arrive. Elle et ton père sont alors partis pour l'hôpital. Tu vas bientôt avoir un petit frère ou une petite sœur. Ton papa a dit qu'il t'appellerait pendant la journée. Tu pourras alors lui parler.

Jeanne s'arrête de manger, la cuiller en l'air. Elle semble confuse.

— Et la cigogne?

— La cigogne? répète Jessie.

Puis elle se rappelle soudain ce qu'elle a lu dans le journal de bord du CBS au sujet de la conversation de

Jeanne avec Claudia, Sophie et moi avant la fête-surprise chez les Prieur.

— Écoute, Jeanne, commence Jessie, les cigognes n'apportent pas les bébés. Ce n'est qu'une histoire fantaisiste. Les bébés se développent dans le ventre de leur maman.

Jeanne semble songeuse pendant quelques moments. Elle dépose sa cuiller dans son bol, puis elle s'apprête à parler. (Jessie commence à avoir peur de ce qu'elle va lui sortir.)

— Je me disais aussi que c'était fou cette cigogne !

Et cela clôt la conversation, au grand soulagement de Jessie.

* * *

Lorsque le déjeuner est terminé, Jessie aide Jeanne à faire sa toilette et à s'habiller. Elle lui laisse choisir ses vêtements (ce que madame Prieur ne ferait sûrement pas, mais comme elle ne verra pas sa fille de la journée, ça importe peu).

Jeanne a à peine fini d'enfiler un jean rose, un chemisier rouge et des sandales jaunes que le téléphone sonne.

— C'est peut-être papa ! crie Jeanne. Mon bébé est peut-être arrivé ? Est-ce que je peux répondre, Jessie ?

— Sais-tu comment ?

— Oui, maman me l'a montré. Écoute si tu veux.

— D'accord, fait Jessie.

— Allô, commence Jeanne une fois qu'elle a décroché. Qui appelle s'il vous plaît ? (Elle reste silencieuse un moment, puis…) Quoi?… Quoi? Une minute, je vais m'informer.

Elle éloigne le combiné de son oreille et demande :

— Jessie, le monsieur ne m'a pas dit son nom, mais il veut savoir si on veut acheter une… cyclopédie ?

— Dis-lui non, fait Jessie en réprimant un sourire. Remercie-le et raccroche.

Jeanne s'exécute et le téléphone sonne presque aussitôt après. Jeanne se précipite.

— Papa ! crie-t-elle. Tu sais l'histoire de la cigogne, c'est pas vrai. Est-ce qu'on a un bébé ? Oh ! d'accord. Tu me promets de me rappeler ?… Oui. À bientôt.

Jeanne semble déçue.

— Ne t'inquiète pas, lui dit Jessie, plutôt confuse car elle croyait que Jeanne ne voulait pas du bébé. Tu auras un nouveau frère ou une nouvelle sœur dès ce soir. Ou peut-être demain.

— Espèce de méchant bébé, marmonne Jeanne en donnant un grand coup de pied dans une armoire. Je ne savais pas que papa et maman devaient partir de la maison pour aller chercher le bébé. Je n'aurai plus jamais papa et maman pour moi. Le bébé les a pour lui tout seul dans le moment.

Oh ! pense Jessie. C'est donc pourquoi Jeanne veut que le bébé revienne vite à la maison. Elle ne veut pas qu'il passe trop de temps seul avec ses parents.

C'est très compliqué.

Jessie s'arrange pour occuper Jeanne tout le reste de l'avant-midi. Elle lui donne à dîner. Jeanne finit à peine son sandwich au beurre d'arachide lorsque le téléphone sonne. Jeanne bondit jusqu'à l'appareil.

— J'espère que c'est mon papa !

C'est bien lui, mais il n'a aucune nouvelle. Jeanne commence à être sur les dents.

— Aimerais-tu faire la sieste ? demande Jessie.

— NON !

— Bon, bon.

Vers seize heures le téléphone sonne encore une fois.

— Réponds, fait Jeanne, écrasée dans un fauteuil, image vivante de la déprime.

C'est monsieur Prieur.

— Le bébé est arrivé ! lance-t-il tout excité. C'est une fille, elle pèse quatre kilos et elle s'appellera Andréa.

— Félicitations ! crie Jessie. Attendez, je vous passe Jeanne.

Jeanne écoute son père sans la moindre expression sur son visage, puis elle lui dit au revoir avant de se laisser retomber dans le fauteuil.

Jessie ne s'en préoccupe pas. Elle appelle chez elle, puis chaque membre du CBS. Lorsqu'elle abandonne finalement le téléphone, elle se tourne vers Jeanne.

— Qu'en penses-tu ? Tu as maintenant un bébé sœur.

— Je voulais un frère, lance Jeanne en montant dans sa chambre.

Jessie ne trouve rien à dire ni à faire.

CHAPITRE 14

Madame Prieur et Andréa restent à l'hôpital encore trois jours. Comme leur congé a été fixé pour aujourd'hui, mardi, monsieur Prieur a donc demandé quelqu'un pour garder Jeanne. C'est moi qui y vais.

Lorsque je sonne chez les Prieur, c'est madame Lefrançois qui me répond. J'ai comme l'impression que la vie de Jeanne se résume à un défilé de gardiennes depuis trois jours. J'imagine aussi qu'elle ne doit pas être à prendre avec des pincettes. Mais attendons.

Je salue madame Lefrançois qui s'en va dès mon arrivée. Je me rends ensuite dans le salon où Jeanne est en train de feuilleter un livre d'images.

— Bonjour, Jeanne, lui dis-je. Andréa arrive aujourd'hui !

— Et après ? fait-elle platement.

— Eh bien, c'est un jour important. Tu es une grande sœur et ta petite sœur s'en vient à la maison.

Jeanne ne répond pas.

— Ton papa va arriver avec le reste de la famille dans près d'une heure.

— Ouais ! lance Jeanne en levant le nez de son livre. Et je n'aurai plus jamais papa et maman pour moi toute seule.

— Oh, Jeanne ! dis-je en m'assoyant près d'elle. Les mamans et les papas ont du temps pour plus d'un enfant. Pense à la famille de Marjorie.

— Je sais, fait Jeanne en poussant un soupir sûrement entendu jusqu'en Chine. Mais ce ne sera plus jamais pareil.

— Non, tu as raison. Ce ne sera plus pareil. Je parie que ta maman et ton papa vont te réserver des périodes tout à fait spéciales.

— Peut-être.

— Tu sais quoi ? Ma maman est morte quand j'étais toute petite et j'ai grandi sans frères ni sœurs. J'étais toute seule avec mon papa et je me sentais parfois très triste. Je désirais tant une petite sœur ou un petit frère, surtout un bébé. J'aurais aimé prendre soin de quelqu'un.

— Ah oui ?

— Oui. Maintenant mon papa s'est marié avec la mère de Diane, et Diane est maintenant ma sœur. Ce n'est pas un bébé et nous nous querellons parfois, mais nous sommes contentes d'être ensemble. Quelquefois, le soir, alors que c'est l'heure de dormir, nous nous réunissons dans la chambre de l'une ou de l'autre et nous parlons longtemps, longtemps.

— Ça doit être amusant, mais…

— Quoi ?

— Les bébés demandent beaucoup de travail. Et maman veut que je sois une grande fille. Andréa va tout changer. Je devrai lui donner ses biberons comme je l'ai appris et...

— Calme-toi, Jeanne, lui dis-je. Tu ne sais même pas ce qui va se passer. Attends d'avoir vu Andréa.

Jeanne se lève et se met à sautiller autour du salon.

— Allez, jeune fille, dehors.

— Pourquoi?

— Parce que tu as beaucoup d'énergie à dépenser et que j'ai un nouveau jeu à te montrer.

— Qu'est-ce que c'est?

— Ça s'appelle la Bagarre de flamants.

— D'accord, fait Jeanne en riant.

Nous nous habillons donc chaudement et sortons. Heureusement, la neige a déjà fondu et le gazon est sec. (Il faut un endroit extérieur pas trop dur et sec parce qu'on tombe souvent en jouant à ce jeu.)

— Attends, dis-je à Jeanne, j'ai oublié les bandeaux pour les yeux. Assois-toi là et ne bouge pas.

Je cours à l'intérieur pour y prendre deux écharpes dans la penderie des Prieur. Jeanne n'a pas quitté sa place.

— Parfait, dis-je. D'abord, sais-tu ce qu'est un flamant?

Jeanne se lève en souriant et se tient sur une jambe.

— C'est ça! dis-je. Un flamant se tient sur une patte et replie l'autre sous son corps. Tu peux faire semblant d'être un flamant en pliant ta jambe et en la tenant derrière ton dos avec une main. Puis, tu sautes sur l'autre jambe.

— Oui, fait Jeanne, mais c'est quoi la bagarre ?

— Eh bien, il faut essayer de faire tomber l'autre personne. Si tu réussis, tu es la gagnante. Mais il y a des règlements. On doit se couvrir les yeux et s'appeler pour deviner où on est. Nous essayons alors de nous bousculer l'une et l'autre. Si je te fais tomber, je suis la gagnante. Si tu me fais tomber, tu es la gagnante. Une autre chose importante : on ne peut pas se servir de ses mains. On ne peut que sautiller et se frapper sans rien voir.

— Jouons vite ! crie Jeanne, amusée.

Je lui attache donc une écharpe autour des yeux en m'assurant qu'elle ne voit rien. Puis je m'en mets une moi-même.

— Jeanne ?

— Oui, je suis là.

— As-tu ton pied en l'air ?

— Oui.

— Bon. Préparons-nous pour… une bagarre de flamants !

Je sautille jusqu'à la position que je crois être celle de Jeanne. Mais je ne sens rien.

— Jeanne ?

J'entends des rires étouffés venant d'une autre direction, je me tourne et sautille dans cette nouvelle direction. Soudain, je heurte Jeanne.

— Bagarre de flamants !

Tout en riant, Jeanne et moi n'arrêtons pas de nous frapper jusqu'à ce que je perde l'équilibre et tombe.

— Tu as gagné ! lancé-je à Jeanne. C'est un à zéro pour toi.

— Bravo ! crie-t-elle.

Vingt minutes plus tard, le pointage est cinq à cinq et nous essayons désespérément de nous faire tomber lorsqu'on entend un coup de klaxon.

— Je pense que c'est papa et maman… et Andréa ! s'exclame Jeanne qui, tout excitée, me fonce dedans et me fait tomber.

— Hé ! Tu as gagné ! dis-je en faisant glisser l'écharpe de mes yeux. Attends, Jeanne ! crié-je aussitôt en la voyant courir vers l'entrée, les yeux encore bandés.

Je l'attrape et lui enlève son écharpe. Nous nous arrêtons toutes les deux pour attendre que monsieur Prieur stationne l'auto. Il sort ensuite de l'auto et ouvre vite l'autre portière. Il prend le bébé des bras de sa femme qui descend lentement à son tour. Elle met un genou à terre et tend les bras vers Jeanne.

— Jeanne ! Tu m'as tellement manqué.

Jeanne court vers sa mère, mais au dernier moment, elle s'arrête pile et se tourne vers son père.

— Je veux voir Andréa, dit-elle.

Il m'est difficile de savoir si madame Prieur est blessée, soulagée ou fière ou les trois à la fois. Elle et moi observons monsieur Prieur qui s'accroupit pour montrer sa petite sœur à Jeanne.

Andréa est tout enveloppée de couvertures. On ne voit que sa figure et ses petites menottes. Les yeux grands ouverts, on dirait qu'elle dévisage sa sœur.

Pendant quelques instants, Jeanne et Andréa ne se lâchent pas des yeux. Puis, Andréa tend une petite main que Jeanne essaie de toucher du doigt. Elle l'effleure, puis se penche pour regarder de plus près.

— Elle a des ongles! murmure Jeanne. Elle a de vrais ongles, mais ils sont si petits. Oh! Andréa est bien mieux que ma poupée. Est-ce que je peux la prendre, papa?

— Lorsque nous serons à l'intérieur, reprend ce dernier. Mais avant, pourquoi ne vas-tu pas embrasser maman? Elle s'est beaucoup ennuyée de toi.

— Je me suis ennuyée aussi, maman, dit Jeanne. Je suis contente que tu sois de retour, fait-elle en enlaçant les jambes de sa mère.

Jeanne prend la main de sa mère et elles suivent monsieur Prieur et Andréa dans la maison. Je fais de même.

— Est-ce que je peux prendre Andréa maintenant? demande Jeanne aussitôt la porte refermée.

— Enlevons d'abord nos manteaux, répond sa mère.

Quelques minutes plus tard, Jeanne est confortablement installée dans un fauteuil et son père et moi l'observons pendant que madame Prieur dépose le bébé dans ses bras.

Il se passe alors quelque chose d'extraordinaire: Jeanne ne cesse de regarder sa petite sœur et son visage en est comme transfiguré.

C'est le coup de foudre. Jeanne adore Andréa.

Oh! bien sûr qu'un jour elles vont se quereller, claquer les portes, se faire la tête… tout comme Diane et moi. Mais comme pour Diane et moi, elles deviendront de bonnes amies et auront beaucoup de plaisir ensemble.

— Bonjour, Andréa, dit doucement Jeanne en collant son nez contre celui de sa petite sœur. Je suis ta grande sœur. Je sais que tu n'es pas très habile, mais je vais t'aider. Je vais même t'apprendre à jouer à la Bagarre de flamants.

Jeanne s'arrête de parler et pose sa main sur la tête de sa sœur.

— N'aie pas peur, maman, je me rappelle que c'est fragile. Je ne ferai pas de mal au bébé.

Les Prieur ont déjà sorti la caméra et, au bout de quelques minutes, je leur dis au revoir et m'en retourne allégrement chez moi.

CHAPITRE 15

Oh! là là! Que de pensées se bousculent dans ma tête lorsque je reviens à la maison.

Je pense aux relations entre personnes, à Diane et à moi. Nous nous aimons et nous nous respectons, quoi qu'il arrive.

Je pense à Jeanne et à Andréa. Après tout ce qu'on a pu voir et entendre depuis quelque temps, qui eût cru que Jeanne aurait réservé un tel accueil à sa petite sœur.

J'imagine que parfois, certains membres d'une même famille n'arrivent jamais à s'accorder, mais ça ne doit pas arriver très souvent. Habituellement, quand les gens sont fâchés, il y a quand même de l'amour qui couve sous les sentiments qu'ils expriment. Lorsque les gens s'aiment, que ce soit entre frères et sœurs, parents et enfants, ou garçons et filles, cet amour conduit à la compréhension. C'est pourquoi j'essaie d'ignorer mon père lorsqu'il lui prend une frénésie d'ordre et de rangement. C'est pourquoi ma belle-mère ne me force pas à manger les aliments qu'elle et Diane adorent. C'est pourquoi Diane et moi arrivons à nous réconcilier rapidement après une bonne prise de bec.

Je pense ensuite à Louis et à moi. J'ai essayé de le comprendre, mais a-t-il fait la même chose avec moi? Au début, oui. Je me rappelle mon treizième anniversaire. C'était une surprise, mais comme je suis timide, vous imaginez comment je me sentais. Lorsque je me suis enfuie de la fête, Louis a compris. Nous en avons discuté, puis il n'a plus jamais essayé de faire de moi le centre d'attraction. Une autre fois, quand j'ai accepté de l'accompagner à une danse de l'école, il ne m'en a pas voulu d'avoir refusé de danser. Et il m'a toujours laissé le choix d'aller aux danses d'halloween costumée ou pas... C'est ainsi qu'il avait l'habitude d'agir avec moi. Mais plus maintenant.

J'ai l'impression qu'il ne m'écoute plus. Il pense à ce qu'il veut, *lui*, alors que j'essaie de le comprendre. Je ne pourrais dire s'il irait jusqu'à me forcer à danser à une fête quelconque. Mais ce dont je suis sûre, c'est qu'il me veut disponible en tout temps. Il semble avoir oublié que j'ai une famille et une vie qui peuvent se passer d'un Louis Brunet.

Louis veut que je sois «sa chose» et je ne veux être la chose de personne. Jamais. Je ne suis peut-être pas aussi indépendante que ma sœur, mais j'ai des droits et des sentiments comme tout le monde.

Je ne veux pas être la propriété de qui que ce soit.

Lorsque j'arrive à la maison, ma décision est prise.

Je monte d'abord dans ma chambre, j'ouvre mon coffre à bijoux, en retire un objet que je glisse dans ma poche.

Puis j'appelle Louis.

— Allô, dis-je lorsqu'il répond. C'est moi.

— Salut, toi !

— Louis, il faut que je te parle. Maintenant. Est-ce qu'on peut se rencontrer dans le parc ?

— Il est tard, Anne-Marie. Il commence à faire noir. Pourquoi veux-tu me rencontrer quelque part ? On pourrait juste parler au téléphone. Ou se voir demain à l'école ? Je ne…

— Non, dis-je.

— Anne-Marie…

— Louis, lorsque tu m'appelles et que ça te tente de me voir, je dis habituellement oui. Je te demande de faire la même chose pour moi. On va se rencontrer sur un banc près de l'étang des patineurs.

— Oh ! d'accord. Tu te rappelles l'autre après-midi dans le parc ? C'était bien, non ?

— Oui, mais n'apporte pas tes patins, Louis. Je ne resterai pas très longtemps.

— Moi non plus, dit Louis. À tout à l'heure !

Nous raccrochons tous les deux.

— Diane ! (Elle fait ses devoirs dans sa chambre.) Je vais rencontrer Louis dans le parc.

— Maintenant ?

— Oui. Je sais qu'il est tard, mais ça ne va prendre que quelques minutes. Je serai de retour avant dix-huit heures.

— Tu ne devrais pas laisser Louis te pousser dans le dos comme ça, me répond Diane.

Je viens tout près de lui dire que cette fois, c'est moi qui le pousse, mais je n'ai pas le temps. Je lui raconterai tout ce soir.

— À plus tard ! crié-je en enfilant manteau et mitaines avant de partir.

Le parc est différent d'il y a quelques semaines. La neige a fondu, laissant voir des plaques de gazon bruni et les arbres dénudés se découpent sur le fond gris du ciel. L'endroit est pratiquement désert.

Malgré tout, la seule vue du parc me rappelle un tas de bons souvenirs que j'ai partagés avec Louis. Et ceux-là en font revivre d'autres.

Je nous revois habillés en chats à la dernière danse d'halloween.

Je nous revois aussi la fois où nous avons gardé ensemble Jérôme Robitaille. C'était avant de commencer à nous fréquenter.

Je me rappelle la première fois que j'ai vu Louis à l'école… je n'arrivais pas à m'en détacher les yeux.

Je ne peux pas croire à ce que je vais faire.

Le banc est vide lorsque j'arrive. Je m'assois et attends. Ce n'est pas l'habitude de Louis d'être en retard.

Mais moins d'une minute plus tard, je l'entends qui me crie :

— Anne-Marie !

Il court vers moi en souriant.

Oh! me dis-je. Que suis-je venue faire ici? Qu'est-ce que je vais faire à Louis? À nous deux?

Mais je ne peux plus reculer.

Louis se laisse tomber près de moi. Il lève mon menton pour pouvoir m'embrasser, mais je le repousse.

— Qu'est-ce qu'il y a? me demande-t-il. Nous sommes dans le parc. Ne crois-tu pas que...

Je mets ma main sur la bouche de Louis pour le faire taire. C'est son tour de me repousser, puis il se penche vers moi pour essayer encore de m'embrasser. Pourquoi ne comprend-il pas?

Peut-être parce que je ne parle pas. Je pensais que mes actes étaient assez clairs, mais non. Après tout, Louis ne peut pas lire dans mes pensées.

— Louis... Louis?

— Oui... Oui? fait Louis en riant.

— Louis, c'est sérieux. Tu te rappelles que je t'avais demandé qu'on se sépare pendant quelque temps?

— Bien sûr, répond-il. C'est ce que nous avons fait.

— Non. Tu n'as jamais pris ça sérieusement.

— Tu te trompes!

— Mais tu as décidé que cela avait assez duré sans m'en parler.

— Je n'ai pas à te demander la permission pour tout.

— Non, mais il faudrait que tu m'écoutes et que tu me comprennes. J'ai l'impression que tu ne fais plus ces choses depuis longtemps. C'est moi qui ai demandé qu'on cesse de se voir un bout de temps et tu as accepté. Ne penses-tu pas que tu aurais pu avoir la courtoisie de me consulter avant de décider qu'on pouvait se revoir?

— La courtoisie? répète Louis. Mais pour qui te prends-tu? Miss Savoir-vivre?

— Non, je m'appelle Anne-Marie Lapierre et je suis une personne. Une personne indépendante qui peut penser par elle-même et être libre. (Je tremble; je me demande jusqu'à quel point je suis indépendante.)

— De quoi parles-tu au juste, Anne-Marie?

— Je veux rompre, Louis, dis-je sans aucune hésitation.

— Tu *quoi*?

— Je veux rompre. Cette relation ne nous conduit nulle part. Je ne sais pas ce qu'elle t'apporte à toi, mais moi je ne suis pas heureuse.

— Anne-Marie...

Louis s'arrête de parler lorsque je me lève pour fouiller dans ma poche. J'en tire le bracelet qu'il m'a donné à la Saint-Valentin et je le lui mets dans la main.

— Je ne peux pas le garder, lui dis-je.

— Tu es vraiment sérieuse?

— Oui, dis-je doucement.

Louis ouvre la main et regarde le petit bracelet. Il lève ensuite les yeux et me regarde.

— J'imagine que ça veut dire qu'on ne... qu'on ne...

Louis n'arrive plus à parler.

— Au revoir, Louis, dis-je.

— Au revoir, Anne-Marie.

Quelques notes sur l'auteure

Pendant son adolescence, ANN M. MARTIN a gardé beaucoup d'enfants, à Princeton, au New Jersey. Maintenant, elle ne garde plus que Mouse, son chat, qui vit avec elle dans son appartement de Manhattan, dans le centre de New York.

Elle a publié plusieurs autres livres dans la collection *Le Club des baby-sitters*.

Elle a été directrice de publication de livres pour enfants, après avoir obtenu son diplôme du Smith College.

42

QUI EN VEUT
À JESSIE ?
Quatre gardiennes fondent leur club

Ann M. Martin

Adapté de l'américain par
Sylvie Prieur

EH Héritage jeunesse

CHAPITRE 1

— Et maintenant, mesdemoiselles, *un pas de bourrée couru, en cinquième*, avec *port de bras*, en terminant par une *arabesque*. À tour de rôle s'il vous plaît... allons-y !

Ce disant, madame Noëlle frappe le sol de son bâton.

Vous vous demandez ce que signifie ce charabia ? Très simple. Madame Noëlle, mon professeur de ballet, nous demande de traverser la salle sur la pointe des orteils, en décrivant des mouvements gracieux avec nos bras et en terminant en équilibre sur une pointe, les bras tendus sur les côtés.

— Jessica Raymond, à vous ! lance madame Noëlle.

Jessica Raymond, c'est moi. Fermant les yeux pendant une fraction de seconde, je me représente mentalement ce que je dois faire. Il est important que je réussisse le meilleur *pas de bourrée* que j'aie jamais exécuté. Pourquoi ? Parce que c'est la dernière étape des auditions finales en vue d'un super spectacle que montera mon école de ballet. Imaginez ! On va présenter *La Belle au bois dormant*, et je voudrais bien obtenir le premier rôle.

Prenant une grande inspiration, je m'élève sur mes pointes puis je m'élance. Je suis si concentrée que j'en oublie presque madame Noëlle, qui, je le sais, observe attentivement chacun de mes mouvements et chaque muscle de mon corps. Normalement, chaque fois que nous exécutons un pas ou un mouvement, madame Noëlle passe des commentaires du genre : « Étirez votre cou, mademoiselle ! » ou « Faites travailler vos chevilles ! » Mais aujourd'hui, ce n'est pas un cours. C'est une audition, et c'est chacun pour soi.

Je termine le *pas de bourrée* par une gracieuse *arabesque* (du moins, je l'espère !), puis je me range sur le côté de la scène pour observer mes compagnes de classe exécuter le même pas, une à une. Il y a beaucoup de bonnes danseuses dans ma classe. C'est normal puisque nous suivons toutes un cours avancé. Prenez Marie Bernard, par exemple. Elle est en train d'exécuter un *pas de bourrée* parfait. En vérité, elle fait tout à la perfection. Cependant, je trouve qu'elle manque de passion. Elle danse comme un robot, si vous voyez ce que je veux dire.

Moi, je pense qu'on ne pourra jamais me prendre pour un robot. Pour autant que je sache, les robots ne sont jamais noirs. D'ailleurs, on a plus de chance de rencontrer une ballerine noire qu'un robot noir !

Voici un avant-goût de ce qui se passe dans certains autres livres de cette collection :

#15 Diane… et la jeune Miss Nouville

Mme Picard demande à Diane de préparer Claire et Margot au concours de Jeune Miss Nouville. Diane tient à ce que ses deux protégées gagnent! Un petit problème… Christine, Anne-Marie et Claudia aident Karen, Myriam et Charlotte à participer au concours, elles aussi. Personne ne sait où la compétition est la plus acharnée: au concours… ou au Club des baby-sitters!

#16 Jessie et le langage secret

Jessie a eu de la difficulté à s'intégrer à la vie de Nouville. Mais les choses vont beaucoup mieux depuis qu'elle est devenue membre du Club des baby-sitters! Jessie doit maintenent relever son plus gros défi: garder un petit garçon sourd et muet. Et pour communiquer avec lui, elle doit apprendre son langage secret.

#17 La malchance d'Anne-Marie

Anne-Marie trouve un colis et une note dans sa boîte aux lettres. «Porte cette amulette, dit la note, ou sinon.» Anne-Marie doit faire ce que la note lui ordonne. Mais qui lui a envoyé cette amulette? Et pourquoi a-t-elle été envoyée à Anne-Marie? Si le Club des baby-sitters ne résout pas rapidement le mystère, leur malchance n'aura pas de fin!

#18 L'erreur de Sophie

Sophie est au comble de l'excitation ! Elle a invité ses amies du Club des baby-sitters à passer la longue fin de semaine à Toronto. Mais quelle erreur ! Décidément, les membres du Club ne sont pas à leur place dans la grande ville. Est-ce que cela signifie que Sophie n'est plus l'amie des Baby-sitters ?

#19 Claudia et l'indomptable Bélinda

Claudia n'a pas peur d'aller garder Bélinda, une indomptable joueuse de tours. Après tout, une petite fille n'est pas bien dangereuse... *Vraiment ?* Et pourquoi Claudia veut-elle donc abandonner le Club ? Les Baby-sitters doivent donner une bonne leçon à Bélinda. La guerre des farces est déclarée !

#20 Christine face aux Matamores

Pour permettre à ses jeunes frères et à sa petite soeur de jouer à la balle molle, Christine forme sa propre équipe. Mais les Cogneurs de Christine ne peuvent aspirer au titre de champions du monde avec un joueur comme Jérôme Robitaille, dit La Gaffe, au sein de l'équipe. Cependant, ils sont imbattables quand il s'agit d'esprit d'équipe !

#21 Marjorie et les jumelles capricieuses

Marjorie pense que ce sera de l'argent facilement gagné que de garder les jumelles Arnaud. Elles sont tellement adorables ! Martine et Caroline sont peut-être mignonnes... mais ce sont de véritables pestes. C'est un vrai cauchemar de gardienne — et Marjorie n'a pas dit son dernier mot !

#22 Jessie, gardienne... de zoo !

Jessie a toujours aimé les animaux. Alors, lorsque les Mancusi ont besoin d'une gardienne pour leurs animaux, elle s'empresse de prendre cet engagement. Mais quelle affaire ! Ses nouveaux clients ont un vrai zoo ! Voilà un travail de gardienne que Jessie n'oubliera pas de si tôt !

#23 Diane en Californie

Le voyage de Diane en Californie est encore plus merveilleux qu'elle ne l'avait espéré. Après une semaine de rêve, elle commence à se demander si elle ne restera pas sur la côte ouest avec son père et son frère... Diane est californienne de cœur... mais pourra-t-elle abandonner Nouville pour toujours ?

#24 La surprise de la fête des Mères

Les Baby-sitters cherchent un cadeau spécial pour la fête des Mères. Or, Christine a une autre de ses idées géniales : offrir aux mamans une journée de congé... sans enfants. Quel cadeau ! Mais la mère de Christine réserve elle aussi une surprise à sa famille...

#25 Anne-Marie à la recherche de Tigrou

L'adorable petit chat d'Anne-Marie a disparu ! Les Baby-sitters ont cherché Tigrou partout, mais il reste introuvable. Anne-Marie a alors reçu une lettre effrayante par la poste ! Quelqu'un a enlevé son chat et exige une rançon de cent dollars ! Est-ce une blague ou Tigrou a-t-il vraiment été enlevé ?

#26 *Les adieux de Claudia*

Mimi vient de mourir. Claudia comprend qu'elle était malade depuis longtemps, mais elle en veut à sa grand-mère de l'avoir abandonnée. Maintenant, qui aidera Claudia à faire ses devoirs? Qui prendra le thé spécial avec elle? Pour éviter de penser à Mimi, Claudia consacre tous ses moments libres à la peinture et à la garde d'enfants. Elle donne même des cours d'arts plastiques à quelques enfants du voisinage. Claudia sait bien qu'elle doit se résigner et accepter le départ de Mimi. Mais comment dit-on au revoir à un être cher… pour la dernière fois?

#27 *Jessie et le petit diable*

Nouville a la fièvre des vedettes! Didier Morin, un jeune comédien de huit ans, revient habiter en ville et tout le monde est excité. Jessie le garde quelques fois et, même si les autres enfants le traitent de «petit morveux», elle aime bien Didier. Après tout, c'est un petit garçon bien ordinaire…

#28 *Sophie est de retour*

Les parents de Sophie divorcent. Sophie accepte difficilement cette situation et voilà qu'en plus, elle a un choix à faire: vivre avec son père ou avec sa mère; vivre à Toronto ou à… Nouville. Quelle décision prendra-t-elle?

#29 *Marjorie et le mystère du journal*

Sophie, Claudia et Marjorie découvrent une vieille malle au grenier de la nouvelle maison de Sophie. Tout au fond de la malle se cache un journal intime. Marjorie réussira-t-elle à percer le mystère du journal?

#30 Une surprise pour Anne-Marie

Anne-Marie va vivre une expérience spéciale : le mariage de son père avec la mère de Diane. Les deux baby-sitters souhaiteraient une grande cérémonie avec les robes, les cadeaux et le gâteau qui vont de pair... Après tout, elles deviendront bientôt deux soeurs.

#31 Diane et sa nouvelle soeur

Diane a toujours rêvé d'avoir une soeur. Mais maintenant qu'elle et Anne-Marie vivent sous le même toit, Anne-Marie ressemble plutôt à une vilaine demi-soeur : elle se vante d'aller à la danse de l'école, son chat vomit sur la moquette, et elle accapare les gardes de Diane !

#32 Christine face au problème de Susanne

Même Christine ne peut déchiffrer les secrets de Susanne, une petite fille autistique qu'elle garde régulièrement. Christine réussira-t-elle à relever le défi qu'elle s'est lancé: transformer Susanne pour qu'elle reste à Nouville?

#33 Claudia fait des recherches

Tout le monde sait que Claudia et sa soeur sont aussi différentes que le jour et la nuit. En ouvrant l'album de photos de famille, Claudia constate qu'il n'y a pas beaucoup de photos d'elle toute petite. Et Claudia a beau chercher son certificat de naissance et l'annonce de sa naissance dans de vieux journaux, elle ne trouve rien. Claudia Kishi est-elle vraiment ce qu'elle croit être? Ou a-t-elle été... adoptée?

#34 Trop de garçons pour Anne-Marie

Un amour de vacances va-t-il venir séparer Louis et Anne-Marie? Sophie et Vanessa ont, elles aussi, des problèmes avec les garçons. Décidément, il y a trop de garçons à Sea City!

#35 Mystère à Nouville!

Sophie et Charlotte découvrent une maison hantée... à Nouville! Les Baby-sitters arriveront-elles à résoudre ce mystère des plus lugubres?

#36 La gardienne de Jessie

Comment les parents de Jessie peuvent-ils lui imposer une gardienne? Jessie aura du mal à expliquer à tante Cécile qu'elle peut très bien prendre soin d'elle-même.

#37 Le coup de foudre de Diane

Lorsque Diane rencontre Alexandre, elle a l'impression que c'est le garçon idéal pour elle. Cependant, les autres membres du Club des baby-sitters éprouvent une certaine méfiance à l'égard d'Alexandre. Diane aura-t-elle une peine d'amour?

#38 L'admirateur secret de Christine

Quelqu'un envoie des lettres d'amour à Christine. Christine est persuadée qu'elles proviennent de Marc, l'entraîneur rival de balle molle. Mais ces notes deviennent bizarres, menaçantes même... Est-ce que Marc ou quelqu'un d'autre cherche à jouer un vilain tour à Christine?

#39 Pauvre Marjorie !

Le père de Marjorie a perdu son emploi ! La famille arrivera-t-elle à joindre les deux bouts ? Les jeunes Picard retroussent leurs manches et viennent en aide à leur père.

#40 Claudia et la tricheuse

Lors d'un important examen de mathématiques, Claudia est accusée d'avoir triché. Qui est donc la véritable tricheuse et pourquoi a-t-elle triché ? Voilà un autre mystère que les Baby-sitters devront élucider.

LES VACANCES D'HIVER DES BABY-SITTERS

Ann M. Martin

7,95 $

Chaque année, l'école secondaire de Nouville est invitée à l'Auberge-du-lac, dans les Cantons de l'Est, pour une semaine de plaisir hivernal !

Ne manque pas de te procurer ce livre qui te fera passer de merveilleux moments avec les Baby-sitters.

En vente chez ton libraire.

ACHEVÉ D'IMPRIMER
EN DÉCEMBRE 1993
SUR LES PRESSES DE
PAYETTE & SIMMS INC.
À SAINT-LAMBERT, P.Q.